LA JEUNE FILLE
EN SOIE ARTIFICIELLE

IRMGARD KEUN

LA JEUNE FILLE
EN SOIE
ARTIFICIELLE

Traduit de l'allemand
par Dominique Autrand

BALLAND

1.

Fin de l'été — une ville moyenne

C'était hier soir, vers minuit, j'ai senti que quelque chose d'extraordinaire m'arrivait. J'étais dans mon lit — en fait, j'aurais bien voulu me laver les pieds avant, mais j'étais trop fatiguée à cause de la soirée de la veille, et pourtant j'avais tout de suite dit à Thérèse : « Ça ne mène à rien de se laisser aborder dans la rue, et puis il faut tout de même savoir se tenir. »

D'ailleurs je connaissais déjà le programme du Kaiserhof. Ensuite, on a bu tant et plus — et j'ai eu le plus grand mal à rentrer saine et sauve à la maison, d'autant qu'il m'est toujours très difficile de dire non. J'ai dit : « A après-demain. » Mais je n'y pense pas le moins du monde, naturellement. Avec ses doigts noueux et sa manie de commander le vin qui se trouve tout en haut de la carte — quand un type commence comme ça, on se demande comment il finira.

Après, au bureau, j'avais mal au cœur, et le vieux ne roule plus sur l'or, il peut vous mettre à la porte du jour au lendemain. Je suis donc rentrée directement à la maison, hier soir — et au lit, sans me laver les pieds. Ni le cou. J'étais couchée et tout mon corps dormait déjà, sauf mes yeux, qui étaient encore ouverts — la lueur de la lune tombait toute blanche sur ma tête — je me disais même que ça devait être du plus bel effet sur mes cheveux noirs, dommage qu'Hubert ne puisse pas me voir, lui qui est en fin de compte le seul que j'aie vraiment aimé. Alors j'ai eu comme une vision d'Hubert autour de moi, la lune brillait, la musique d'un phonographe tout proche me parvenait, et puis il s'est passé en moi quelque chose d'extraordinaire — ça m'était déjà arrivé quelquefois, mais jamais à ce point-là. C'était comme si j'étais en train de composer un poème, seulement pour bien faire il aurait fallu que ça rime et j'étais beaucoup trop fatiguée pour ça. Mais je me rendais compte qu'il y avait en moi quelque chose d'extraordinaire, comme le pensaient d'ailleurs Hubert et Mlle Vogelsang, au lycée, à qui j'avais sorti un de ces *Roi des Aulnes,* qu'ils en étaient tous restés raides. Je suis absolument différente de Thérèse et des autres filles du bureau, chez qui il ne se passe jamais rien d'extraordinaire. Et en plus je parle un allemand presque pur, c'est très important et c'est un bon point pour moi, surtout que mon père et ma mère parlent un patois qui me fait carrément honte.

Je pense que c'est une bonne chose que je décrive tout, puisque je suis quelqu'un qui sort de l'ordinaire. Mon projet, ce n'est pas un journal — c'est ridicule pour une fille de dix-huit ans et qui est dans le coup. Non, je veux écrire une sorte de film parce que ma vie est comme ça et qu'elle le sera encore davantage. Je ressemble à Colleen Moore, si elle avait une permanente et le nez un peu plus chic, un peu plus retroussé. Quand je relis ensuite, c'est exactement comme au cinéma — je me vois sur des images. Maintenant, je suis assise dans ma chambre, dans une chemise de nuit qui a glissé sur mes épaules unanimement admirées, tout chez moi est de première classe — sauf ma jambe gauche qui est plus grosse que la droite. Il fait très froid, mais je me sens plus jolie en chemise de nuit — sinon, j'enfilerais mon manteau.

Ça me fera du bien, pour une fois, d'écrire pour moi sans virgules et en bon allemand — pas aussi apprêté qu'au bureau. Pour chaque virgule qui manque, il y a cette grande perche d'avocat à qui je dois... — en plus, il a des boutons et une peau comme mon vieux sac en cuir jaune sans fermeture éclair — j'ai honte de le porter quand je suis avec des gens bien — c'est une peau comme ça qu'il a sur le visage. Et puis d'abord je n'en ai rien à faire des avocats — toujours à courir après le fric et à tortiller leurs phrases comme un canard son derrière, et dessous, rien du tout. Mais je ne laisse rien voir, car mon père est chômeur et ma mère travaille au théâtre, ce qui n'est pas sûr non plus par les temps qui courent. Revenons-en à cette grande perche d'avocat. Donc, je lui présente les lettres et pour chaque virgule qui manque je lui balance un coup d'œil sensuel. Mais je vois venir le moment où ça va craquer, car je n'ai aucune envie d'aller plus loin. Je peux certainement arriver à tirer encore quatre semaines, je me contente de dire chaque fois que mon père est très sévère et que je dois rentrer directement à la maison le soir. Mais quand un homme s'emballe, il n'y a pas de prétexte qui tienne — on connaît ça. Et plus le temps passe, plus il s'emballe, à cause de mes regards sensuels quand il manque des virgules. De toute façon, la vraie culture n'a rien à voir avec les virgules. Pas question pour moi d'aller avec lui et la suite. Je disais justement hier à Thérèse, qui travaille aussi au bureau et qui est mon amie : « Il faut bien qu'il y ait un peu d'amour, sinon que devient l'Idéal? »

Et Thérèse me disait qu'elle aussi, elle avait de l'idéal, parce qu'elle s'est attachée de toute son âme et de toute sa souffrance à un homme marié qui n'a rien, qui n'envisage pas de divorcer et qui s'est tiré à Goslar — si bien qu'elle, elle s'est complètement desséchée, elle a eu trente-huit ans dimanche dernier et elle en avoue trente — mais on lui en donne quarante — et tout ça à cause de ce Laumann. Idéaliste comme ça, moi je ne risque pas de l'être. C'est une chose que je ne comprends pas.

Je me suis acheté un gros cahier noir, j'ai collé dessus deux colombes blanches découpées et je voudrais écrire une introduction : donc, je m'appelle Doris, je suis baptisée, chrétienne et vivante. Nous sommes en l'an 1931. Demain, la suite.

J'ai passé une journée agréable, parce que c'est le dernier jour du mois et que toucher de l'argent, c'est une des choses qui vous font le plus de bien, même si sur mes 120 marks — Thérèse en touche 20 de plus — je dois en donner 70, que mon père se contente de boire, parce qu'il est maintenant au chômage et n'a rien d'autre à faire. Avec mes 50 marks je me suis tout de suite acheté un chapeau à plumes — vert foncé — c'est justement la couleur à la mode, et elle va magnifiquement bien avec mon teint rose de première classe. Il se porte un peu de travers — c'est d'un chic fou — je m'étais déjà fait faire un manteau vert foncé — exactement à ma taille, avec une bordure en renard — un cadeau de Käsemann, qui pour un peu m'aurait carrément épousée. Mais moi pas. Parce que je suis trop bien, à la longue, pour des petits gros, qui par-dessus le marché s'appellent Käsemann. Donc, après le renard, j'ai mis un point final. Mais cette fois je suis au complet question garde-robe —

c'est une chose très importante pour une fille qui veut faire son chemin et qui a de l'ambition.

Me voici maintenant assise dans un café — la tasse de café, je n'ai besoin de personne aujourd'hui pour me l'offrir. Il y a de la musique, quelque chose que j'aime bien : le Baron Tzigane ou Aïda — il ne faut pas être à ça près. A côté de moi, un homme avec une fille. Il est plutôt bien — mais pas vraiment — et elle, elle a une tête de tortue, elle n'est plus très jeune et elle a une poitrine comme une ceinture de sauvetage. J'écoute toujours les conversations — c'est une chose qui m'intéresse, on ne sait jamais, ça peut être une occasion de s'instruire. J'avais vu juste, naturellement : ils viennent de faire connaissance. Il commande des cigarettes à huit pfennigs, alors que d'habitude il ne fume sûrement que de celles à quatre pfennigs. Le cochon. Quand un type en commande à huit pfennigs, on est fixé sur ses intentions. Quand un type est vraiment sérieux, il fume des cigarettes à six pfennigs avec une dame, c'est convenable, pas excessif, et le revirement ensuite paraît moins grossier. Un vieux, une fois, m'en a offert à dix — que voulez-vous que je vous dise, c'était un sadique, et ce qu'il m'a demandé exactement, ça m'ennuierait de le mettre par écrit. En plus, je ne peux pas supporter la plus petite douleur, des jarretières trop serrées pour moi c'est déjà une torture. Depuis, je suis devenue méfiante.

Voilà quelque chose de tout à fait ahurissant : la tortue mange du camembert. Est-elle innocente à ce point, ou bien n'est-ce pas plutôt qu'elle ne veut pas de lui, c'est la question que je me pose. Je suis quelqu'un qui ne peut s'empêcher de réfléchir sur tout. A mon avis : si elle ne veut pas de lui, elle cherche à se donner de l'assurance en mangeant du camembert et elle se fabrique en même temps un empêchement. Je me souviens du jour où je suis sortie pour la première fois avec Arthur Grönland. Il était beau comme un dieu et plein d'autorité. Moi, je me disais : du cran, Doris — un type qui a de l'autorité, comme ça, c'est avec du sérieux qu'on lui en impose, or j'avais justement besoin d'une montre — le mieux est de faire en sorte qu'il ne se passe rien pendant trois soirées au moins. Seulement je me connais, et je savais qu'Arthur Grönland allait commander une bouteille de Kupferberg — et de la musique par-dessus le marché! Aussi j'avais fourré sept épingles de sûreté rouillées dans mon soutien-gorge et dans ma chemise. J'avais beau être complètement soûle — autant qu'un régiment de soudards —, impossible d'oublier les épingles de sûreté rouillées. Arthur Grönland se faisait de plus en plus pressant. Alors moi : « Monsieur, qu'allez-vous donc penser de moi? Vraiment, je vous en prie. Pour qui me prenez-vous? » C'est tout. Et je lui ai fait une impression terrible. Sur le moment, il était furieux, naturellement, mais ensuite il m'a parlé en homme de cœur : ça lui plaisait, une fille qui, même un peu beurrée, savait aussi bien se tenir. Aussi se montrat-il plein de considération pour ma haute moralité.

Et moi de lui dire, tout simplement : « Je suis comme ça, monsieur Grönland. »

Arrivés devant ma porte, il déposa un baiser sur ma main. Alors moi : « Je ne sais encore pas quelle heure il est — il y a un bout de temps que ma montre est cassée. » Dans ma tête, je me disais : s'il se met maintenant à me donner de l'argent pour la faire réparer, ça prouvera que je me suis une fois de plus douloureusement gourée.

Mais le lendemain soir, au dancing du Rix, le voilà qui arrive avec une petite montre en or. Je prends un air très étonné : « Comment avez-vous bien pu deviner que j'avais justement besoin d'une montre? Vous me gênez terriblement — je ne peux pas accepter! »

Il devient tout pâle, s'excuse et rempoche la montre. Je commence à trembler et je me dis : Cette fois, Doris, tu es allée trop loin! Alors j'ajoute, d'une voix un peu floue, légèrement mouillée de larmes : « Monsieur Grönland, l'idée de vous blesser m'est insupportable — attachez-la à mon poignet, je vous en prie. »

Là-dessus, il me remercie. « Oh, je vous en prie », dis-je. Puis il se remet à me faire des avances, mais je reste de bois. Sur le seuil de ma porte, il me dit : « Pardonnez-moi, chaste et innocente créature, si je me suis montré importun.

— Je vous pardonne, monsieur Grönland. »

N'empêche qu'au fond de moi j'étais terriblement furieuse contre ces maudites épingles de sûreté, il avait des yeux noirs si doux et une autorité folle — et puis cette petite montre dorée, à mon poignet, qui faisait un tic-tac délicieux... Seulement j'ai beaucoup trop de moralité, en fin de compte, pour laisser voir à un homme que je porte du linge avec sept épingles de sûreté rouillées. Par la suite j'ai renoncé à ces accessoires.

Je suis justement en train de me dire que je pourrais peut-être moi aussi manger du camembert, s'il me paraissait opportun de me fabriquer un empêchement.

Voilà que le type presse la main de la tortue sous la table tout en me reluquant avec des yeux qui lui sortent de la tête. C'est ça, les hommes. Et ils ne soupçonnent pas le moins du monde qu'on les perce à jour beaucoup mieux qu'ils ne le font eux-mêmes. Naturellement, je pourrais... — tiens, il est en train de parler du magnifique bateau à moteur qu'il possède sur le Rhin, avec une puissance de je ne sais combien de chevaux — à moi, il me paraît tout au plus digne d'un petit canot pas trop vilain. Je viens juste de remarquer à quel point il parle fort, c'est pour que je l'entende — le petit malin! — moi avec mon chapeau neuf si chic et mon manteau bordé de renard — en outre, le fait que je me sois mise à écrire dans mon cahier à colombes produit sûrement un effet très intéressant. L'alligator vient de me lancer un regard amical, ce genre de choses m'attendrit toujours et je me dis : Ma pauvre tortue, tu ne dois pas souvent en dégoter un, et si aujourd'hui tu manges du camembert, peut-être que demain tu n'en mangeras plus. Quant à moi, je suis une fille trop bien et trop branchée sur le mouvement des femmes pour te chiper ton douteux possesseur de canot à moitié chauve. D'ailleurs ce serait trop facile, ça ne me tente pas, et puis un amateur de sports nautiques et une fille qui a une poitrine comme une ceinture de sauvetage, ça va tellement bien ensemble. A une table, de l'autre côté, il y a un type qui est toujours en train de me zieuter, il a un visage fabuleusement frappant et un diamant démentiel au petit doigt. Un visage à la Conrad Veidt, comme il était à l'époque où il était encore plus dans le coup. En général, il n'y a pas grand-chose à découvrir derrière ce genre de visage, mais ça m'intéresse quand même.

J'ai l'impression de voler, tellement je me sens excitée. A côté de moi est posée une boîte de chocolats — j'en mange certains, mais ceux qui sont fourrés de crème, je commence par mordre dedans pour voir s'il n'y a pas par hasard une noisette à l'intérieur, sinon ça ne me dit rien, alors je recolle les deux morceaux ensemble pour que le chocolat reprenne un aspect neuf — je les offrirai demain à ma mère et à Thérèse. La boîte me vient de ce Conrad Veidt — il s'appelle Armin — un nom que je déteste parce qu'il a été utilisé une fois dans des magazines pour une réclame de laxatif.

Alors chaque fois qu'il se levait de table, je ne pouvais m'empêcher de penser : Armin, n'as-tu pas oublié de prendre ta Laxine, ce matin? Si bien que je me mettais à rire bêtement. Lui, il me demandait : « Pourquoi ce rire argentin, ô ma douce créature?

— Si je ris, c'est que je me sens tellement heureuse! »

Dieu merci, les hommes sont bien trop imbus de leur personne pour aller s'imaginer qu'on pourrait se moquer d'eux. Et celui-là serait un noble! Tout de même, je ne suis pas bête à ce point — bête au point de croire qu'il y a des nobles en chair et en os qui circulent de par le monde. Mais je me suis dit : Laisse-lui donc ce plaisir, et je lui ai affirmé que j'avais tout de suite deviné en le voyant. Il était un peu du genre artiste et nous avons passé une soirée très excitante, nous avons dansé à la perfection, et la conversation était d'un très haut niveau. Une chose qu'on trouve rarement. Il a bien entendu commencé par me raconter qu'il voulait m'introduire dans le monde du cinéma — bon, je me suis montrée indulgente, je l'ai laissé dire. Vous, les hommes, c'est plus fort que vous. Il n'y en a pas un qui n'aille pas raconter à chaque fille qu'il rencontre qu'il est directeur général dans le cinéma ou qu'il possède pour le moins des relations incroyables. Je me demande s'il y a encore des filles qui tombent dans ce panneau.

Mais là n'est pas l'essentiel — l'essentiel, c'est que j'ai vu Hubert, juste au moment où il franchissait une porte. Toute une année, il est resté absent — ah, je suis terriblement fatiguée maintenant. Certes, Hubert s'est très mal conduit envers moi, mais j'ai quand même tout de suite pris mes distances avec l'homme à la Laxine, qui d'ailleurs n'était que de passage. Hubert ne m'a sûrement pas vue, mais ça m'a fait tout de même un coup au cœur — ce dos revêtu d'un manteau noir, cette tête un peu penchée sur le côté, cette nuque blonde... Je n'ai pu m'empêcher de me rappeler notre excursion dans la forêt du Coucou, quand il était étendu sur le dos — les yeux fermés. Avec le soleil, on avait l'impression que le sol bourdonnait et que l'air était tout tremblotant — je lui avais mis des fourmis sur la figure pendant qu'il dormait, parce que moi, je ne me sens jamais fatiguée avec un homme dont je suis amoureuse — je lui avais mis des fourmis dans les oreilles — le visage d'Hubert, c'était comme une montagne, avec des vallées et tout et tout, il fronçait le nez d'une façon si marrante, sa bouche était à moitié ouverte — son souffle montait comme un nuage – je tenais, tout près, un brin d'herbe, qui remuait. Il avait bien l'air un peu idiot mais ce visage hébété de dormeur, j'en étais encore plus amoureuse que de ses baisers – qui étaient pourtant tout à fait extraordinaires. Et puis il m'appelait son écureuil, parce que j'ai une façon à moi d'avancer les dents du haut et de retrousser un peu la lèvre – je le faisais sans arrêt parce qu'il trouvait ça drôle et pour lui plaire. Il croyait que je faisais ça sans m'en rendre compte – et il faut toujours laisser à un homme ses illusions.

Je me sens tellement moulue maintenant que je préférerais ne pas avoir à enlever ma robe – avec Gustav Mooskopf, une fois, je me suis trouvée si fatiguée que j'ai dormi chez lui – simplement à cause de tout le chemin qu'il y avait à faire jusqu'à la maison et parce qu'il allait pouvoir m'enlever mes chaussures et le reste – dans ce cas, les hommes croient toujours que c'est de l'amour ou du désir, ou les deux – ou alors qu'ils sont tellement merveilleux, qu'ils ont un fluide tellement extraordinaire que ça vous rend toute faible et brûlante en même temps – et pourtant il y a des millions de raisons, pour une fille, de passer la nuit chez un homme. Mais tout ça n'est pas très important. Je me dépêche d'écrire encore quelques mots à propos de mon aventure, ne serait-ce que parce que j'ai la flemme de me lever de ma chaise – Dieu

merci, je porte aujourd'hui des escarpins — ils
sont déjà sous la table — il faudrait que je les
mette sur des formes parce que le daim...

J'écris au bureau, car le boutonneux est au tribunal. Les filles se posent des questions et me
demandent ce que j'écris. Je réponds : Des lettres
— si bien qu'elles pensent que ça doit avoir un
rapport avec l'amour, et ça elles respectent. Thérèse mange mes chocolats et se réjouit que j'aie eu
une nouvelle aventure. Thérèse, pour moi, c'est
comme un bon vieux foyer. Elle n'a plus de destin
à elle à cause de son homme marié, alors elle vit
en se raccrochant tant qu'elle peut à mon destin
à moi. Ça me fait terriblement plaisir de tout lui
raconter parce qu'elle a une façon inouïe de
s'étonner — alors qu'en fait c'est toujours du pareil
au même — et si je ne pouvais pas lui raconter ce
qui m'arrive, je n'aurais pas une si grande envie
d'avoir des aventures fabuleuses.

Je me suis demandé où Hubert pouvait bien
habiter ici — si c'était chez des parents à lui — et
je me suis dit qu'il valait mieux que je ne le revoie
pas. J'avais seize ans quand mes rapports avec lui
ont commencé, il était le premier, un garçon très
timide — qui avait pourtant près de vingt et un ans.
Au début, il ne voulait pas, non pas par noblesse
d'âme ou autre chose du même genre, mais simplement par lâcheté, parce qu'il pensait que ça
allait lui créer des obligations, une fille aussi tota-

lement innocente. Car je l'étais. Il n'aurait naturellement pas voulu croire qu'il était tout simplement un cochon et un dégonflé, il se tenait au contraire pour un type extraordinairement généreux, prêt à faire n'importe quoi à l'exception de cette seule chose. Moi, je trouvais qu'un type qui rend une fille folle de lui, c'est exactement comme s'il lui faisait autre chose, en plus je me disais qu'il fallait bien que ça arrive un jour, j'attachais une grande importance à l'idée d'une expérience authentique et j'étais très amoureuse de lui, avec ma tête, ma bouche, et tout ce qu'il y a plus bas. Finalement, j'ai réussi à l'avoir pour de bon. Lui, il se figurait qu'il m'avait séduite, il me tenait des discours grandioses sur sa conscience et ses remords, mais au fond il était bien content d'en avoir, il avait l'impression d'être un type sensationnel — et il faut toujours laisser à un homme ses illusions. Pendant toute une année, j'ai été rien qu'avec lui, jamais avec aucun autre, je n'en avais pas envie, c'était plus fort que moi, je ne pensais qu'à Hubert. J'étais donc très exactement ce qu'on appelle fidèle. Ensuite, il a eu son doctorat, il avait fini ses études — de la physique et autre chose du même genre. Il est parti à Munich, où habitaient ses parents, et il a voulu se marier — avec une fille de son milieu, la fille d'un professeur — très connu, mais pas autant qu'Einstein dont on voit des photos dans un nombre impressionnant de journaux, sans

pouvoir imaginer grand-chose de ce qu'il y a dessous. Quand je vois sa photo avec ses yeux rieurs
et ses cheveux en plumeau, je me dis toujours que
si je le rencontrais au café un jour où je porte justement mon manteau avec du renard, où je suis d'un
chic fou des pieds à la tête, il me raconterait peut-
être lui aussi qu'il est dans le cinéma et qu'il a des
relations incroyables. Alors moi, je lui balancerais
froidement : L'eau, c'est H_2O — c'est Hubert qui
m'a appris ça — et il en resterait baba. Mais j'en
étais à Hubert. Je n'avais rien contre le fait qu'il
veuille une fille qui ait du fric et tout ce que ça
implique — par ambition et pour faire son chemin,
ce sont des choses pour lesquelles je me montre
toujours compréhensive. Encore qu'à l'époque, je
trouvais meilleur goût à de vieilles sardines à
l'huile rance partagées avec Hubert dans sa turne
misérable qu'à des escalopes superchic, avec une
garniture invraisemblable, consommées avec Käsemann dans un restaurant tout ce qu'il y a de
plus rupin. Si ça n'avait tenu qu'à moi, on aurait
pu en rester aux sardines à l'huile. Mais je
m'étais faite, comme je l'ai dit, à l'ambition
d'Hubert. Seulement il s'est montré terriblement
mufle. D'abord en voulant s'éclipser trois jours
avant mon anniversaire — ce n'était pas la question du cadeau, de toute façon il n'avait pas le
premier rond pour ça, il ne m'avait jamais offert
qu'une grenouille rainette en celluloïd, comme ça,

un jour, pour rire et pour que je la fasse nager dans le ruisseau. Je l'ai portée longtemps autour de mon cou, sous ma blouse, attachée à un ruban de velours vert, malgré les pattes qui me griffaient douloureusement la peau, là où je l'ai si délicate. Ce qui par ailleurs est un avantage — je veux dire auprès des hommes. Mais pas pour les coups de soleil. Il s'est donc tiré trois jours avant mon anniversaire et je n'ai pu m'empêcher de ressentir ça comme un affront, parce que j'avais fait des économies pour m'acheter une robe à pois et que je voulais l'étrenner ce jour-là — à cause d'Hubert, naturellement. Et voilà que je me retrouvais assise toute seule avec mes pois et Thérèse dans un café où il y avait de la musique. Je chialais dans ma tasse et je devais sans arrêt m'essuyer le nez avec des gants en peau de chamois véritable parce que je n'avais justement pas de mouchoir, quant à Thérèse, le sien était entièrement rempli par son rhume de cerveau. Je chialais sur ma robe neuve — il n'aurait plus manqué qu'une chose, c'est que les pois ne soient pas lavables, qu'ils fichent le camp et déteignent par-dessus le marché sur ma combinaison saumon. Mais cette épreuve, au moins, me fut épargnée. Ça, c'était sa première muflerie, la seconde a consisté à me mettre au courant de ses intentions sur le mode moralisateur. Nous étions assis dans un café, le voilà qui se met à me parler de sa nana munichoise. Je me

contente d'incliner la tête, je me prépare intérieu-
rement à ma nouvelle situation et je me dis : Finalement il a ses raisons, mais pour ce qui est d'aimer, il n'aime que toi.

Et tout d'un coup — écarlate et tout confus,
parce que sa conscience devait quand même le
turlupiner quelque part et que ça le rendait agressif
vis-à-vis de moi — il me sort : « Quand un homme
se marie, il veut une femme vierge et je souhaite,
ma petite Doris... » Il parlait d'une voix onctueuse,
comme s'il avait lapé une boîte entière de crème
Nivéa — « Je souhaite, ma chère enfant, que tu
deviennes une fille bien, et je me permets en tant
qu'homme de te donner un conseil : n'accorde tes
faveurs à aucun homme avant d'être mariée avec
lui... »

Je ne sais pas du tout ce qu'il avait l'intention
d'ajouter car là je suis sortie de mes gonds. Quand je
l'ai vu faire son cinéma, avec sa voix huileuse et sa
haute moralité, impressionné par sa propre grandeur, gonflé d'orgueil, la poitrine bombée, les
épaules rejetées en arrière comme un général en
chef à la tribune! Me dire ça à moi! Un type que
j'avais vu peut-être trois cents fois en caleçon ou
avec moins que ça encore — qui avait une tache de
rousseur sur le ventre et plein de poils sur ses jambes
cagneuses! Il aurait pu me dire en toute amitié
qu'il voulait une fille qui ait de l'argent plutôt que
moi qui n'en avais pas. Mais déborder d'attendris-

sement sur lui-même, sur ce type fabuleux qui me trouvait non pas trop pauvre mais pas assez convenable, simplement parce qu'avec lui j'avais déjà... Non, ce genre de chose, je ne peux pas l'encaisser, mon cerveau se bloque et je sors de mes gonds. Je ne peux pas expliquer ce qui m'a mise dans une telle fureur, mais le fait est que je lui en ai allongé une selon les règles, ce qui ne m'arrive que rarement en principe, et ça a claqué si fort que le garçon a cru que je lui faisais signe pour demander l'addition.

Maintenant, je suis assise dans un café, j'ai mangé une quantité impressionnante de saucisson de foie, bien que chaque bouchée ait failli me rester en travers du gosier, enfin ça a tout de même fini par descendre et j'espère que ça ne va pas me faire de mal après cette effroyable agitation. Car me voilà mise à la porte et je tremble de tous mes membres. J'ai vraiment peur de rentrer chez moi, je connais mon père, c'est un type franchement odieux et dépourvu d'humour quand il est à la maison. On connaît ça — les hommes qui au café, avec les copains, sont aussi pleins de soleil qu'un ciel d'Italie, qui sont toujours à rigoler et à amuser la galerie — ce sont les mêmes qui, une fois chez eux, dans leur famille, se montrent d'une humeur tellement vinaigrée qu'il suffit de les regarder le matin, quand ils sortent d'une nuit de beuveries, pour faire l'économie d'un bocal de cornichons.

Voici comment les choses se sont passées : je n'avais pas écrit suffisamment de lettres parce que j'avais tout le temps pensé à Hubert et il fallait que je mette la gomme pour arriver quand même à terminer quelque chose — dans mes lettres, pas une virgule à l'horizon, naturellement, ce qui est d'ailleurs chez moi un système : mieux vaut pas de virgule du tout que des virgules mal placées parce que quand on rajoute des virgules manquantes ça se voit moins que quand on efface des virgules en trop. En plus, j'avais fait des fautes dans ces lettres, j'en avais un fâcheux pressentiment. Alors, en les apportant, je me suis tout de suite fait un regard à la Marlène Dietrich, avec des battements de cils très explicites, dans le style : Vite, vite, chéri, au lit! Le boutonneux a dit aux autres qu'elles pouvaient toutes s'en aller mais que moi, il fallait que je reste pour recommencer ces lettres, ce qui me dégoûtait complètement, je n'en avais pas la moindre envie, c'était des documents dans un charabia épouvantable, à propos d'un certain Blasewitz à qui un dentiste avait arraché une couronne en or qu'il lui avait en fait subtilisée avant de la refacturer — une chatte n'y aurait pas retrouvé ses petits, ça faisait des semaines que je gribouillais les histoires de ce Blasewitz et de ses molaires, ce qui finit tout de même un beau jour par vous taper sur les nerfs. Je vais donc trouver le boutonneux dans son bureau — tout le monde est parti, il n'y a plus que lui et moi. Il parcourt mes lettres et rajoute des virgules à l'encre — je me dis : Tu vois ce qu'il te reste à faire. Et je m'appuie légèrement contre lui, comme par mégarde. Il continue à rajouter des virgules en pagaille, à barrer, à améliorer çà et là et tout à coup, lisant une lettre, il commence à dire : « Celle-là, il va falloir la recommencer. »

Mais quand j'entends « va falloir », je ne le laisse pas finir, je presse ma poitrine contre ses épaules et, comme il lève les yeux, je frémis furieusement des narines, à tout hasard, parce que je veux m'en aller, qu'il n'est pas question que j'écrive un mot de plus sur ce Blasewitz et ses molaires, pas plus que sur les versements de Mme Grumpel pour sa petite crèmerie puante. Il faut pour ça que je détourne l'attention du boutonneux et je frémis donc des narines comme un lapin géant des Flandres en train de grignoter un chou. Je m'apprête à susurrer d'une voix sensuelle que je suis tellement fatiguée et puis qu'il y a mon pauvre vieux père qui m'attend, perclus de rhumatismes, pour que je lui lise *La Maison du bonheur* — je m'apprête donc à lui dire ça et c'est juste à ce moment que la chose se produit, si bien que je me rends compte, un peu tard, que je suis allée trop loin avec mes narines. Le type bondit, m'étreint et se met à souffler comme une locomotive sur le point de démarrer. J'arrive tout juste à dire :

« Mais... » en m'efforçant de faire lâcher prise à ses longs doigts osseux et répugnants. J'étais vraiment déroutée car j'avais escompté que tout ça ne se produirait que quatre semaines plus tard, si bien que je devais admettre une fois de plus qu'on en apprend tous les jours. « Mon enfant, ne cherche pas à feindre, me dit-il, je sais depuis longtemps ce qu'il en est et que ton sang brûle pour moi. »

Tout ce que je peux dire, c'est que je me suis étonnée cette fois encore de voir un homme, qui pourtant avait de l'instruction et savait se montrer astucieux quand il s'agissait de Blasewitz et de ses molaires, se comporter aussi bêtement. C'était la faute à Hubert et à mon ventre creux, et puis ça venait si brutalement, et tous ses boutons, et cette bouche de perche grimpeuse qu'il faisait — c'était la faute à tout ça si je perdais ma place. Il me murmure des niaiseries — les bêtises d'usage — et voilà qu'il entreprend de m'entraîner sur le sofa de cuir tout froid — moi qui n'avais même pas dîné — sans compter qu'il allait peut-être encore falloir par là-dessus recommencer les lettres, de la part d'un avocat il faut s'attendre à tout — ça m'a paru trop bête. Alors j'ai dit, très tranquillement : « Comment pouvez-vous chiffonner ainsi ma robe quand je n'ai rien d'autre à me mettre! » C'était un avertissement et une épreuve, de sa réponse allait dépendre si je pouvais l'éconduire en douceur et avec les formes ou s'il fallait devenir grossière.

Il a réagi naturellement comme je m'y attendais : « Mon enfant, comment peux-tu penser à ça dans un moment pareil, d'ailleurs c'est sans tes vêtements, toute nue, que je te préfère. »

Alors là, j'ai perdu les pédales. Je lui ai flanqué un coup dans les tibias pour qu'il me lâche et je lui ai demandé : « Mais dites-moi, espèce d'abruti d'avocat, qu'est-ce que vous vous imaginez donc? Comment un homme aussi instruit que vous peut-il être demeuré au point de croire qu'une fille jeune et jolie en pince pour lui? Vous ne vous êtes jamais regardé dans une glace? Qu'est-ce que vous pouvez bien avoir de séduisant, je vous le demande? »

Il aurait été intéressant pour moi d'obtenir une réponse logique parce qu'un homme doit toujours en fin de compte penser quelque chose. Au lieu de ça, il se contente de dire : « Voilà donc le genre de fille que tu es! », et il étire le mot « genre » comme de la gomme arabique.

Alors moi : « Genre ou pas genre — c'est un vrai phénomène de la nature que de vous voir devenir écarlate de colère, je n'aurais jamais pensé que vous pouviez devenir encore plus moche que vous l'êtes au naturel — et puis vous avez une femme qui se teint les cheveux en jaune, on dirait du jaune d'œuf dur, qui dépense des fortunes en soins de beauté, qui se balade en voiture et qui ne fait pas le moindre boulot sérieux de toute la sainte

31

journée — et moi il faudrait qu'avec vous... pour rien et moins que rien — juste par amour... », et je lui balance la lettre avec les molaires de Blasewitz en plein dans ses boutons, car du moment que tout était fichu je voulais au moins une fois donner libre cours à mon tempérament. Naturellement, il m'a donné congé pour le premier du mois suivant. Je me suis contentée de répondre : « Moi aussi, j'en ai marre d'être chez vous, donnez-moi encore un mois de salaire et dès demain vous ne me reverrez plus. »

Ensuite, sans me démonter, je me mets à le menacer carrément : les types du tribunal n'auraient qu'à voir son moche visage et ils seraient aussitôt prêts à croire que jamais de la vie je ne lui avais décoché de regards sensuels, ils me donneraient entièrement raison — et quelle tête il ferait, le lendemain, quand je viendrais raconter tout ça aux filles, en précisant bien qu'il était allé jusqu'à employer des mots aussi inconvenants que « nue » et « mon sang brûle » — parce que moi, quand une chose m'a mise hors de moi, je ne peux hélas pas m'empêcher de la raconter.

Et maintenant, me voilà assise ici avec cent vingt marks, en train de réfléchir à une nouvelle existence et d'attendre Thérèse, à qui j'ai téléphoné pour qu'elle vienne me consoler et me calmer, car en fin de compte c'est du sensationnel que je viens de vivre.

Fin de l'été — une ville moyenne

J'ai tout raconté à ma mère, mais je ne lui ai parlé que de soixante marks, dont j'ai gardé vingt pour moi, ce qui fait quatre-vingts en tout, car il faut savoir apprécier l'argent, quand on travaille on apprend ça. Je dois reconnaître que ma mère est une chouette femme, il lui reste un je ne sais quoi d'autrefois, même si maintenant elle tient le vestiaire au théâtre. Elle est bien un peu trop grosse mais pas terriblement, et elle porte ses chapeaux à l'ancienne mode, sur le sommet du crâne — comme un point sur un i — en ce moment, du reste, c'est en train de redevenir en vogue. En tout cas, elle a le maintien d'une vraie femme de luxe, ça vient du fait qu'elle a autrefois mené la grande vie. Elle a malheureusement épousé mon père, ce que je considère comme une erreur, car c'est un personnage tout à fait rustre, paresseux comme un macchabée vieux d'un an et qui braille de temps en temps rien que pour montrer quel beau et viril organe il a — on connaît ça. C'est seulement hors de la maison qu'il se donne des airs, toujours à faire d'élégants ronds de bras, à hausser les sourcils, à éponger sa sueur — surtout en présence de toute femme qui pèse plus de deux quintaux et qui n'est pas mariée avec lui.

Je ne fais aucun cas du bonhomme, mais j'ai tout de même terriblement peur parce que mes nerfs ne supportent pas de l'entendre rugir — et quand il me parle de morale je ne peux rien entre-

33

prendre de sérieux contre lui parce qu'il est mon père. J'ai seulement demandé une fois à ma mère pourquoi, elle qui est une femme d'une certaine classe, elle avait épousé ce minable, et au lieu de me flanquer une gifle elle m'a répondu : Il faut bien finir par se caser quelque part. Elle a dit ça tout tranquillement — et pourtant j'en aurais presque pleuré, je ne sais pas pourquoi, mais j'ai compris ce qu'elle voulait dire et depuis je n'ai plus jamais insulté devant elle ce vieux butor.

J'aimerais bien revoir Hubert. Je pressens que pour moi de grandes choses se préparent. Mais me revoilà assise avec mes quatre-vingts marks et sans nouvelle existence, et je me demande bien où se trouve l'homme idéal pour ma situation catastrophique. Les temps sont terribles, quelque chose d'immoral flotte dans l'air, quand on se dit à propos d'un type : Celui-là, je peux le taper — le voilà justement qui se met à en taper un autre.

Thérèse m'a conseillé d'aller voir Johnny Klotz, dont nous avons fait la connaissance au dancing du Palace — elle m'a conseillé ça parce qu'il a une auto — pas de très grande classe mais quand même. Je lui ai dit : « Tu n'as pas l'œil, pour ce qui est des hommes et de l'époque actuelle, Thérèse — que signifie le fait qu'un homme ait une auto, quand cette auto n'est même pas payée? De nos jours, quelqu'un qui a de l'argent s'offre l'autobus, et vingt-cinq pfennigs d'argent liquide représentent un signe plus sûr qu'une auto et de l'essence empruntées. » Thérèse a admis la chose parce que pour ces questions elle tient le plus grand compte de mon opinion. Je me creuse la tête pour trouver comment je pourrais bien repartir sur de nouvelles bases car quand on dépend uniquement des hommes, ça a vite fait de tourner mal. A moins qu'il ne s'agisse d'un spécimen de tout premier ordre — mais ce genre de type est dur à trouver dans ce bled pourri. En tout cas, Johnny Klotz va pouvoir ce soir m'apprendre le nouveau tango, comme ça je serai dans le coup sous tous les rapports. Je me sens très irritable — toute la journée sans rien faire, j'ai une véritable soif de voir la nuit tomber — il y a une mélodie qui trotte dans ma tête : *Je t'aime, brune madone, dans tes yeux brille le soleil...* Au dancing du Palace, le violoniste chante avec une voix douce, farineuse — mon Dieu, je me sens devenir pareil — il faut dévorer jusqu'au dernier morceau une nuit comme ça, avec sa musique, ses lumières, ses danses, jusqu'à ce qu'on n'en puisse plus — comme si je devais mourir à l'aube et ne plus rien avoir jamais. Je voudrais une robe de tulle rose pâle avec de la dentelle d'argent et une rose rouge sombre sur l'épaule — je vais tâcher de trouver une place de mannequin, je suis une étoile d'or — et aussi des souliers d'argent — *...oui, c'est le songe d'une nuit de tango...* Quelle musique merveilleuse il y a ici — quand on est soûl, on a

35

l'impression de descendre un toboggan dans un froissement d'air.

Il vient de se produire un événement décisif : je suis devenue artiste. Voici comment les choses ont commencé : ma mère a parlé avec Mme Buschmann, qui est l'habilleuse des actrices et qui a parlé à son tour avec Mme Baumann, qui joue des rôles comiques de femmes âgées — des vieilles dames un peu maboules qui voudraient bien encore mais dont personne ne veut plus, et les gens rient de voir le mal qu'elles se donnent, mais en réalité il n'y a pas de quoi rire. Mme Baumann a parlé à un type qui dirige les pièces et qu'on appelle à la fois metteur en scène et Klinkfeld. Klinkfeld a parlé avec un autre, qui est en dessous de lui, qui dirige les pièces sous ses ordres, qu'on appelle assistant et Bloch, et qui a un ventre comme un traversin — mais je ne sais pas s'il y a quelque chose de brodé dessus — il est toujours dans un état d'excitation dingue, comme si le théâtre et tout le reste lui appartenaient, il n'arrête pas de courir avec un livre à la main en disant des cochonneries, sans qu'on sache si elles se trouvent dans le livre ou si c'est de lui. Bloch a parlé avec le surveillant des loges, qui se tient toujours devant la loge du directeur, par laquelle on peut accéder du parterre à la scène, ce qui est d'ailleurs interdit, et le type des loges, dans une attitude martiale, veille à ce que personne ne vole de décors. Il est venu parler à ma mère, et maintenant je fais de la figuration dans une pièce qui s'appelle *Le Camp de Wallenstein*. Je dois traverser la scène en courant, une cruche à la main, avec d'autres filles — un va-et-vient infernal — mais pour l'instant nous n'en sommes qu'aux répétitions, la représentation n'a lieu que le 12. D'ici là, il faut que le rythme devienne encore plus infernal. Personne ne m'adresse la parole parce qu'ils se prennent tous pour des êtres d'exception.

Les filles se divisent en deux catégories — il y a celles qui viennent du conservatoire, qui ne font ça que pour l'argent et se prennent très au sérieux — et celles qui viennent de l'école des comédiens, qui ne reçoivent pas d'argent mais doivent au contraire payer, et qui du coup se prennent encore plus au sérieux. C'est exactement la même chose chez les garçons qui sont aussi figurants. Ils font tous un de ces cinémas, je n'ai jamais vu ça de ma vie, et ils me traitent avec un mépris grossier, mais ils me le paieront. Les comédiens qui ont achevé leur formation méprisent de leur côté ceux qui viennent de l'école et le font bien voir. Ils se méprisent aussi entre eux mais ça, ils le montrent moins — en fait c'est le règne du mépris généralisé, chacun se considère comme le seul digne d'admiration. Il n'y a que les concierges qui se comportent comme des gens normaux et qui vous répondent quand vous leur dites bonjour.

En bas, il y a une petite pièce où les comédiens

vont s'asseoir quand ils n'ont pas besoin d'être en scène, elle est terriblement enfumée et puante. Chacun parle avec une voix sonore et s'écoute parler puisque personne d'autre ne l'écoute. Il n'y a qu'une chose qu'ils écoutent tous, ce sont les blagues, parce qu'ils vont aussitôt pouvoir les raconter à leur tour d'une voix sonore. Ils n'arrêtent pas de courir partout, en faisant des effets de cuisses, et de tomber en arrêt devant une feuille de papier fixée dans un cadre, qu'on appelle le tableau des répétitions. Là, ils se balancent sur leurs plantes de pied en fredonnant je ne sais quoi pour faire les intéressants — alors que personne ne les regarde. Parfois, quand des gens de l'extérieur entrent et demandent quelque chose au portier, ils sont là à zieuter, tout excités, la respiration courte. Les comédiens de la plus basse catégorie s'empruntent mutuellement des cigarettes et s'en donnent aussi quelquefois.

Chaque matin, on voit arriver le directeur — c'est un moment très solennel. A la façon dont il ouvre la porte, d'une seule poussée rapide, on comprend tout de suite que c'est lui qui commande au théâtre. Comme c'est un type important et qu'il se prend au sérieux, il est presque toujours de mauvaise humeur, et fait une bouche pincée. Par ailleurs il est gros et flasque, sa peau est verdâtre et il s'appelle Leo Olmütz. Il se contente de passer la tête, très vite, par la fenêtre du portier, et de la rentrer aussitôt — dans quel but, je n'en sais rien, mais ça fait très bien. Puis il traverse le couloir d'un pas ferme pour gagner son bureau. Les filles de l'école font exprès de le rencontrer par hasard et tâchent de se faire remarquer. Aujourd'hui, il a dit à deux d'entre elles : « Bonjour, mes enfants, alors, on est contentes ce matin? » Ça a fait sensation, elles ont commenté l'événement jusqu'à midi. La grosse blonde qui sue la graisse, qui a toujours la figure rouge comme une tomate et qui s'appelle Linni, a prétendu qu'il l'avait regardée, elle, d'une façon particulière. Et l'autre, qui a des cheveux noirs, coiffés à la Jeanne d'Arc, une bouille très ordinaire, et qui s'appelle Pilli, a dit que non. D'autres sont ensuite venues ajouter leur grain de sel, elles étaient là à se disputer pour savoir s'il avait dit « alors » ou s'il ne l'avait pas dit. A elles toutes, elles formaient un clan et me jetaient des regards méprisants parce qu'il ne fallait pas que j'entende ce qu'elles chuchotaient — j'étais assise tout près d'elles sur la table, dans ce qu'on appelle la salle de conversation.

Tout d'un coup, j'ai dit d'une voix très calme : « Je peux demander ce soir à Léo, s'il a dit " alors ". »

Tous les regards se sont tournés vers moi. Je me suis aussitôt rendu compte que j'étais sur la bonne voie si je voulais gagner leur considération.

« Vous le connaissez donc? » m'a demandé cette grande bringue de Pilli.

Alors moi : « Qui ça? Léo? Naturellement, c'est lui qui s'occupe personnellement de ma formation, seulement il ne veut pas que j'en parle, et d'ailleurs je dois me tenir à distance de tout le monde ici. »

Là-dessus, je fronce le nez d'un air supérieur et je braque un regard rêveur sur la fenêtre du haut. En un clin d'œil, les voilà toutes autour de moi comme des perce-oreilles et cette grosse dondon de Linni s'empresse de m'inviter à prendre un café après la répétition. Je mange donc tranquillement cinq petits pains et je me dis : Laissons-la payer et tâchons d'obtenir par elle quelques tuyaux sur tout ce bazar. Naturellement, j'évite de parler de Léo, parce que je n'ai pas la plus petite information sur lui. Quand Linni me pose une question, je détourne la conversation et je me garde bien d'affirmer quoi que ce soit. Ensuite, nous sortons dans la rue et là — moi qui ai du flair — je sens qu'elle commence à douter — alors je m'arrête devant un magasin de soieries, je tends la main et je dis d'un ton dégagé : « Léo s'est fait faire dernièrement trois pyjamas dans ce tissu ravissant. »

Alors Linni, pleine de respect : « Dans ce crêpe de Chine avec un motif de roses? »

Je ne m'étais pas rendu compte que je désignais ce tissu-là — il ne me restait plus qu'à acquiescer et à simuler une terrible quinte de toux, parce que j'étouffais de rire en m'imaginant le petit rondouillard à la bouche pincée et au pas décidé dans un pyjama de crêpe de Chine blanc orné de roses. Mais, comme je me disais qu'il fallait tout de même bien que je donne quelques explications, j'ai ajouté, dès que ça m'a été possible : « Oui, il a fait ça par amour pour moi, je l'avais tellement supplié, parce que je raffole de ce tissu et puis sous la lumière électrique, avec ses cheveux noirs, ça produit un effet vraiment poétique. »

En fait, il lui reste en tout et pour tout trois poils, tout à fait à l'arrière du crâne. Après, j'ai fait jurer à Linni de ne souffler mot à personne de tous ces secrets. Mais maintenant je suis un peu inquiète : quelle mine est-ce que je vais faire si elle vend la mèche? — en réalité, j'en ai déjà assez du théâtre.

Il y a une sorte de grandeur dans l'art, je souffre pour lui et j'ai déjà remporté un succès. J'avais donc découvert que ceux qui sortaient de l'école de comédiens se situaient plus haut que ceux qui étaient seulement là comme acteurs de complément. Comme je me trouvais parmi ces derniers, je me suis dit : Il n'est pas question que je reste avec des acteurs de la plus basse catégorie. Or, plus un type a de texte à dire sur la scène, plus haut il se situe, tout ce qui importe c'est d'être inscrit sur le tableau et pour ça il faut dire quelque chose. Mais c'était vraiment la foire d'empoigne pour avoir une phrase dans cette pièce qui s'appelle *Le Camp de Wallenstein*. Il y a là-dedans une vieille femme qui couche avec une foule de soldats. Ce n'est pas dit mais on le devine. Elle leur vend en même temps des victuailles mais à mon avis elle ne peut pas vivre uniquement de ça; surtout quand par-dessus le marché il y a une guerre qui dure trente ans. Cette vieille a une parente, qui est jeune et qui naturellement couche aussi avec les soldats, qu'est-ce qu'elle pourrait bien faire d'autre? Elle s'appelle « cantinière », c'est un mot étranger — j'aurais bien aimé interroger les filles là-dessus. Mais, malgré Léo, je n'étais pas en mesure de montrer mon ignorance, d'ailleurs c'est une chose qu'on ne doit jamais faire. Sinon, on vous écrabouille purement et simplement. La jeune cantinière court dans tous les sens, elle sert à boire, et il lui arrive aussi d'être assise dans une tente — qui n'est d'ailleurs pas encore là, on ne l'aura que pour la répétition générale. Il y a un moment où elle sort de la tente et s'écrie : « Cousine, ils veulent s'en aller! » C'est encore des soldats qu'il s'agit, naturellement. Elle doit crier ça d'une voix très émue, ce que je ne comprends pas, car il reste encore bien assez de militaires, alors quelques-uns de plus ou de moins, ça n'a pas grande importance — surtout que les soldats, ils sont tous pareils. Au début, Klinkfeld voulait supprimer la jeune cantinière, parce qu'elle détourne des soldats l'attention du spectateur, mais maintenant il s'est ravisé, elle aura une phrase à crier. Il y avait une de ces effervescences autour de cette malheureuse phrase, comme autour d'un morceau de pain en temps de famine. Si ce n'est plus.

Comme il ne s'agissait que d'une phrase, les comédiennes confirmées ne s'excitaient pas beaucoup là-dessus, le rôle devait être donné à une fille de l'école. Elles sont sept. En octobre, quand il y aura eu le nouveau concours d'entrée, il en viendra d'autres. Elles doivent toutes faire deux ans d'études. Qu'est-ce qu'il peut bien y avoir tant à apprendre, je n'en ai pas une idée claire, mais pour le moment j'ai décidé de me taire, de ne pas me mêler de juger, puisque je fais moi aussi maintenant partie de l'école, et que j'ai moi aussi mon succès.

Il s'agissait donc de cette phrase. Linni, la grosse dondon, me suppliait d'agir auprès de Léo pour qu'elle décroche la phrase. C'était plutôt embarrassant pour moi et il ne me restait pas d'autre solution que de dire : « Linni, tu peux bien t'imaginer qu'après son travail exténuant Léo n'a plus la moindre envie le soir d'entendre encore parler de phrases — et puis il est tellement passionné qu'il est incapable de penser à quoi que ce soit. »

Alors elle a voulu en savoir plus sur le comportement érotique de Léo. C'est là qu'on voit comment sont ces filles du monde artistique — exactement comme celles du bureau et toutes les autres. Il leur faut toujours des précisions. Elles n'ont qu'à faire leurs propres expériences. Ces questions sur Léo commencent à me sortir par les yeux. Quand je le rencontre dans le couloir ou ailleurs, j'ai chaque fois la nausée, le ventre noué de peur et je me sens toute faible.

Je me suis contentée de répondre à Linni : « Léo n'aime pas qu'on parle de sa vie érotique. »

Pilli, cette grande perche, plate comme une planche à pain, passe son temps à faire le guet devant le bureau des régisseurs pour tâcher de coincer Klinkfeld — j'ai tout de suite compris son manège. Toutes les filles n'arrêtent pas de se brouiller, de se raccommoder, de se rebrouiller — j'aimerais bien ne pas avoir de plus grave souci! Manna Rapallo, une petite bonne femme toute ronde, a depuis ce matin une liaison avec Bloch, celui qu'on nomme assistant et qui n'arrête pas de courir avec son gros ventre et son livre — c'est bien sûr dans l'espoir qu'il lui fera avoir la fameuse phrase. Le plus intéressant, c'est de voir toutes ces filles venues d'une école supérieure se démener comme des folles pour avoir une phrase dite par une cantinière, qui est manifestement une prolétaire. Comme quoi le théâtre n'a pas grand-chose à voir avec la vie.

Aujourd'hui, à la répétition, Klinkfeld a dit : « Ah oui, c'est vrai, il y a encore cette phrase. »

Normalement, il parle avec précipitation tout en sautillant sur les planches, avec ses longues jambes, comme un kangourou — mais ça, il l'a dit un peu distraitement, et il n'arrêtait pas de se balayer le crâne avec la main comme pour mettre de l'ordre dans sa chevelure, ce que font toujours les hommes qui justement n'ont pas de cheveux et ne peuvent par conséquent pas y mettre de l'ordre. Ils prennent dans ces moments-là un air sombre parce qu'ils viennent de redécouvrir sans plaisir que leur tête est chauve et lisse. C'était le cas de Käsemann et je n'ai pas réussi à lui faire perdre cette habitude.

Au moment où Klinkfeld a commencé à parler de la phrase, toutes les filles se sont mises à palpiter comme un seul cœur — moi exceptée. Il a fallu qu'elles la prononcent à tour de rôle et Bloch le bedonnant a poussé en avant la petite bonne femme Manna Rapallo, en disant très haut : « Elle n'a encore jamais eu de phrase, toutes les autres en ont déjà eu » — c'était une sorte d'échange de services, puisqu'elle couche avec lui.

Alors elle a dû à son tour énoncer la phrase, mais son aventure avec le gros ventre lui a malheureusement porté sur la voix et elle s'est mise à pépier d'une voix éraillée comme une corneille sous-alimentée en plein brouillard. C'est finalement Mila von Trapper qui a obtenu la phrase. Tâchez de vous représenter une noble authentique, avec un ex-général pour père, en cantinière prolétarienne. Tout ce que je peux dire, c'est que ce qui se passe dans un théâtre est terriblement intéressant. Mila von Trapper a des yeux de Chinoise et une allure extra-ordinaire — il faut lui laisser ça. Mais elle me traite avec une grossièreté qui passe l'imagination parce

qu'elle est venue assez tard participer aux répétitions et qu'elle ne sait donc rien de mon histoire
avec Léo. Elle est très fière, parce qu'elle a beaucoup de talent, et ça, ici, ça a une signification
monstre. Ne pas avoir de talent, c'est plus grave
que d'être en maison de correction. Un jour, Mila
von Trapper a fait une démonstration de son talent
dans la salle de conversation — presque toutes les
filles étaient rentrées chez elles, il n'y avait plus que
celles de l'école — celles-là, elles passeraient volontiers la nuit au théâtre. Tout le monde était assis
sur la table et sur le rebord de la fenêtre, le front
sérieux, la lèvre grave, et la fière von Trapper y est
allée de son talent et de ses cris. C'était à peine
convenable — une histoire avec un certain Holopherne à qui elle ne voulait pas donner de fils, ce
que d'ailleurs personne ne lui demandait — enfin
bref, le genre de choses qui se passent dans ces
pièces compliquées. Elle se laissait glisser par terre,
elle tournait sur elle-même — comme tante Claire,
quand ses calculs biliaires se coincent — et elle
criait tant et plus. Je ne trouvais pas ça beau mais je
dois avouer que, à ce degré-là, moi je n'aurais pas
pu. Elle faisait semblant de trancher la tête à quelqu'un, en modifiant son geste en cours de route,
comme si la tête avait du mal à se détacher — je
trouvais ça un peu barbare — et elle braillait et
chancelait, complètement hors d'elle. De quoi vous
donner la chair de poule. En gros, c'est ce qu'on

appelle se déchaîner. Elles disaient toutes que c'était fabuleux, un truc à présenter au public.

Comme je ne savais pas quoi dire d'un point de vue professionnel mais qu'elle s'était terriblement démenée — elle était vraiment à bout de souffle —, j'ai voulu y aller moi aussi de mon amabilité et je lui ai dit, comme elle me jetait un coup d'œil interrogateur : « Maintenant prenez garde aux courants d'air, vous vous êtes mise en nage à crier comme ça et chacun sait qu'il y a en ce moment une épidémie de grippe. »

Elle a étiré les coins de sa bouche jusque par terre, que j'en ai eu froid dans le dos, et elle a dit : « Cette œuvre d'art ne vous a sans doute pas fait la moindre impression? Peut-être ne savez-vous même pas de qui est *Judith* — tout est possible. »

Naturellement que c'est possible, comment pourrais-je donc savoir qui est Judith? Peut-être que c'est la pièce qu'elle a braillé qui s'appelle comme ça. Pendant un petit moment, je me suis sentie enveloppée d'un nuage de tristesse car sans arrêt il y a dans ma vie des choses que je ne sais pas, et il faut toujours que je fasse comme si, parfois je suis vraiment lasse de faire tout le temps attention, il faudrait que j'aie honte chaque fois qu'il y a comme ça des mots ou des choses que je ne connais pas, et jamais les gens ne sont suffisamment bien et tout pour que j'aie du courage avec eux et que je leur dise : Je sais bien que je suis bête, mais j'ai une mémoire et quand on m'explique quelque chose je me donne la peine de m'en souvenir.

Sans que je l'aie voulu, c'est sorti de ma bouche : « Non, je ne sais pas. » Dans certaines situations, c'est comme un besoin physique, pour moi, de ne pas mentir. Mais ça se paye, naturellement.

La Trapper a dit : « C'est malheureux, l'art ne cesse de se prolétariser. » Et rien qu'à la voir étirer son cou, j'ai compris qu'elle venait de me dire une vacherie.

Mais Linni l'a prise à part et l'a mise au courant pour Léo et moi, si bien qu'elle est devenue d'un coup tout sucre et tout miel. Moi, je m'en voulais de ma faiblesse, avec ça je me demande bien comment j'arriverai à faire mon chemin dans la vie!

Hier, donc, la Trapper a décroché la phrase, parce que c'est un talent et qu'elle se déchaîne. Mais je la déteste — pourquoi s'est-elle montrée si vache? Enfin, maintenant c'est fait.

Ce matin, j'aperçois la Trapper qui grimpe au premier étage — c'était peu avant son entrée en scène — et je lui emboîte le pas. Elle disparaît dans les toilettes. Le bon Dieu est avec moi — la clé est à l'extérieur! Je donne un tour — tout doucement — et je me sauve, personne ne m'a vue. Maintenant elle peut faire tout le tapage qu'elle veut. Il faut vraiment un hasard pour que quelqu'un emprunte cet escalier car il y a d'autres toilettes en bas, où tout le monde va — il n'y a que la noble Trapper pour avoir besoin d'un traitement particulier. Eh bien, elle l'a!

Là-dessus, la fameuse phrase n'est pas prononcée et Klinkfeld commence déjà à se mettre en boule parce que la répétition prend du retard. Alors je me rue hors de la tente, qui n'est pas encore là — je porte ma robe rouge feu, qui est extraordinairement raffinée et très ajustée — et je crie : « Cousine, ils veulent s'en aller! »

Comme je suis réellement dans l'angoisse, ma voix paraît chargée de souci à cause de ces soldats qui partent.

Klinkfeld passe la main sur sa tête chauve sans parvenir à mettre de l'ordre dans ses cheveux et me demande : « Qui êtes-vous? »

Je le lui dis. Il peste contre la noble cent pour cent qui n'est pas là, et me déclare : « C'est vous qui prononcerez la phrase. »

Les filles se sont toutes mises à me haïr et du coup sont devenues pleines d'égards pour moi. Après la répétition, je faisais les cent pas devant le bureau, en bas, et j'entendais, très loin, la Trapper qui cognait contre la porte des toilettes. Mais c'était peine perdue, personne ne pouvait s'en rendre compte car des ouvriers, au-dessus, étaient en train de clouer des décors et faisaient un boucan terrible, si bien que la noble fille, malgré tout son déchaînement, n'avait aucune chance de leur damer le pion. Quand Klinkfeld arrive, je lui saute dessus et je

lui fais donner sa parole d'homme d'honneur et de
régisseur de la pièce que la phrase ne me sera pas
retirée, bien que je ne fasse pas partie de l'école. Il
me parle, me pose des questions, s'intéresse à moi
de haut en bas, mais sans la moindre trace d'érotisme, ce que je m'explique en partie par le fait que
c'est midi et qu'il n'a pas encore déjeuné. Il me fait
entrer dans son bureau et m'offre un fauteuil tandis
que lui se contente d'une chaise cannée. C'est une
chose que je n'oublierai jamais, car c'était pure cour-
toisie de sa part puisqu'il ne voulait rien de moi.

Ensuite, il se rend dans la pièce à côté, chez le
patron — chez Léo — et ils reviennent tous les deux
ensemble. Je me suis retrouvée en face de Léo et
je suis devenue cramoisie, mon visage s'est crispé,
car je ne pouvais m'empêcher d'imaginer son ventre
enveloppé dans du crêpe de Chine orné de roses et
ça me faisait presque l'effet d'une pensée inconvenante. En plus, il y avait comme un air de dignité
qui flottait autour de ses oreilles. Le soleil leur
tombait dessus et on aurait dit deux petits lam-
pions rouges. Sa bouche pincée souriait poliment,
sans intention, comme une reine Louise. Je me sentais les genoux gelés et le ventre en débandade. Car
les hommes qui ont une grosse situation et aucune
intention amoureuse — ce qui justement vous donnerait de l'ascendant sur eux — me font toujours une
forte impression. Ils m'ont posé des questions sur
mon éducation et sur ce que je voulais.

Il a fallu ensuite que je leur récite quelque chose et j'ai commencé *Le roi des Aulnes*. Mais, arrivée à « sa couronne et sa traîne », impossible de me souvenir de la suite, tellement j'étais énervée, c'était vraiment embêtant. Alors ils m'ont demandé quelque chose de drôle et on a réfléchi ensemble un bon moment. Finalement, je leur ai chanté la rengaine d'Élisabeth aux jambes bien faites, tout en dansotant de-ci de-là.

Ils se sont mis à rire et Klinkfeld a dit à Léo : « Un indiscutable talent comique. »

Léo a acquiescé, puis ajouté : « Et gracieuse, avec ça. »

J'étais là, la tête baissée, faisant comme si je n'entendais rien mais je n'en perdais pas un mot, naturellement. Ils m'ont acceptée à l'école, sans que j'aie même besoin de payer, ça a été entendu comme ça. Et voilà, cette fois je ne suis plus tout à fait en bas de l'échelle.

Mais c'est pour moi la source de multiples contrariétés, car mon père est furieux : comment est-ce que je vais gagner de l'argent, maintenant? Ma mère au contraire ne veut pas faire obstacle à ma carrière, si bien que c'est la bagarre générale et continuelle, j'en ai presque perdu l'appétit. Mon père est un vieil homme et il ne sait rien faire d'autre, pour meubler sa vie, que de jouer avec ses saloperies de cartes, boire de la bière au cumin et traîner dans les bistros, ce qui coûte naturellement de l'argent. Alors moi, en ne lui donnant rien, je lui ôte quelque chose. On ne peut pourtant pas dire qu'il se ruine à m'entretenir, je ne fais que dormir dans une minuscule chambre — je ne mange presque jamais à la maison, la plupart du temps je me fais inviter ailleurs. Mais maintenant, chaque trait de son visage est chargé de reproche. Il faut absolument que je trouve un type pour ma garde-robe et pour avoir cinquante marks par mois à donner à la maison, histoire qu'on me fiche la paix. Si je dis à mon père d'où vient l'argent, il me mettra dehors dans un sursaut de vertueuse indignation. Mais si je ne dis rien, il ne me demandera pas d'où je le tiens, il ne se posera même pas la question, il empochera les sous en toute tranquillité d'esprit.

Il y avait une fille qui chantait et qui faisait ballotter ses seins — avec une robe jaune, une rose sur l'épaule, et sur les yeux une bonne livre de bleu agressif. Et puis aussi un type qui faisait du vélo — un vélo très haut — il risquait sans arrêt sa vie et il racontait des blagues — et pendant ce temps-là les gens continuaient à manger — le type ruisselait de sueur — ensuite ils ont applaudi. Il aurait très bien pu se tuer — combien touche un gars comme ça? C'était un cabaret de première classe.

J'ai été invitée là par un monsieur de la grosse industrie, en même temps il envoyait le portier au théâtre retirer des entrées gratuites pour demain, parce que ceux qui ont de l'argent ont aussi des relations et n'ont pas besoin de payer. On peut vivre pour vraiment pas cher quand on est riche. Il m'a abordée et il m'a invitée parce qu'il me prenait pour une véritable artiste. Je veux en être une. Je veux devenir une de ces vedettes qui sont tout en haut. Avec une auto blanche, une baignoire remplie d'eau parfumée et tout comme à Paris. Les gens seront pleins de respect pour moi parce que je serai une vedette et si je ne sais pas ce que c'est qu'une « valeur » ils trouveront ça merveilleux et ne se moqueront pas de moi comme on le fait aujourd'hui — est-ce que la Trapper est encore assise dans les toilettes? Si après-demain je ne la vois toujours pas, j'irai lui ouvrir, car je ne veux quand même pas la laisser mourir de faim pour de bon.

Je deviendrai une vedette et alors tout ce que je ferai sera bien — je n'aurai plus jamais besoin de faire attention, de surveiller mes mots, de calculer, de projeter — je me laisserai griser, tout simplement — plus rien ne pourra m'arriver dans le genre échec ou humiliation, puisque je serai une vedette.

Me voilà déjà débarrassée de La-Grosse-Industrie, car la politique empoisonne à l'avance les rapports humains. Je crache sur la politique. Le conférencier était juif, le type sur le vélo était juif, la fille qui dansait était juive.

La-Grosse-Industrie m'a demandé si moi aussi

j'étais juive. Mon Dieu non, je ne le suis pas, mais je me suis dit : S'il le souhaite, fais-lui donc ce plaisir — alors j'ai répondu : « Bien sûr — la semaine dernière, mon père s'est justement foulé le pied à la synagogue. »

Il a dit qu'il aurait dû s'en douter en voyant mes cheveux frisés. En fait, c'est une permanente, au naturel ils sont raides comme des baguettes de tambour. D'un seul coup, il est devenu glacial avec moi, il s'est avéré qu'il était nationaliste et de race pure — la race, ça c'est un problème — il est devenu carrément hostile — tout ça est très compliqué. J'ai fait précisément ce qu'il ne fallait pas faire. Mais ça m'a semblé trop bête de retirer tout ce que je venais de dire, et puis un homme doit bien savoir à l'avance si une fille lui plaît ou non. Quelle sottise! Ils commencent par vous faire des compliments à tire-larigot, à s'en décrocher les bras, les jambes et Dieu sait quoi encore — tout à coup, vous dites : Je suis une châtaigne — et les voilà qui ouvrent tout grand leur bouche : Ah bon, tu es une châtaigne — pouah! Je n'en savais rien. En réalité, on est exactement comme avant mais il semblerait qu'un seul mot a suffi à vous changer.

Je suis soûle. Est-ce qu'Hubert est encore dans la ville? Quand La-Grosse-Industrie a été bien ivre, tout ça a cessé de lui paraître si important et il s'est remis à avoir des idées. Comme je lui ai dit que mes cheveux étaient naturellement plats, il m'a transformée en une fille de race, pur sang, et il y est allé carrément. Mais à moi, l'envie m'était passée, parce que je savais que quand il serait de nouveau à jeun, la politique reprendrait le dessus — ça me met mal à l'aise, on ne peut jamais être sûr qu'on ne va pas se faire assassiner pour raisons politiques quand on met le nez là-dedans.

A la table à côté était assise une dame merveilleuse, avec des épaules de luxe et un dos — un dos qui se tenait bien droit tout seul, avec une robe magnifique — j'en aurais pleuré. Si la robe était tellement belle c'était parce qu'elle, elle n'avait pas eu à se demander comment se la procurer, et ça se voyait. Je me suis retrouvée à côté d'elle aux lavabos, nous nous regardions toutes les deux dans le miroir — elle avait des mains légères, blanches, une façon très distinguée de bouger les doigts et un regard plein d'assurance, et tellement indifférent en même temps — à côté d'elle, j'avais exactement cet air qu'ont tous ceux qui paient partout le prix fort. Elle était grande, pas très mince, d'une blondeur scintillante. Si douce, si droite, si soigneusement baignée. Ça doit être intéressant pour un homme de l'embrasser, parce que c'est ce genre de femmes dont on ne peut jamais savoir à l'avance comment elles sont. Avec moi, on sait. J'avais une envie terrible de lui dire combien je la trouvais belle, belle comme une nuit de chanson, mais elle m'aurait peut-être prise pour une gouine, ce qui aurait été une erreur.

Tout était plein de velours rouge, il y avait une fille qui dansait sous des projecteurs, mais celle-là aussi, c'en était une qui paie partout le prix fort, et il fallait qu'elle se donne du mal. Est-ce qu'on peut devenir une vedette quand on ne l'est pas de naissance? Enfin, moi, je suis déjà dans une école de théâtre. Mais je n'ai pas encore de manteau pour le soir — tout ce que je possède, c'est de la pacotille — le manteau avec du renard, c'est très bien pour l'après-midi mais le soir c'est de la saloperie. La femme, elle, avait une cape — de la loutre noire avec autre chose de blanc — est-ce que c'était de l'hermine? Il y avait en elle un je ne sais quoi de naissance qui fait que du lapin blanc, sur son dos, prend des allures d'hermine — hermine, un mot qui suffit à me faire tomber dans les pommes, à me donner la chair de poule. Quand Thérèse porte des gants en peau de chamois véritable, ils ont quand même l'air de n'être qu'en tissu.

Pour aller au cabaret, j'ai pris le tramway qui longe le cimetière — une femme est montée qui venait d'enterrer son mari — autour d'elle un nuage de voiles noirs, une femme tout en noir, sans argent pour rouler en auto, mais avec des gants noirs — tout le monde pouvait voir son visage, ses yeux complètement foutus, qui ne savaient même plus pleurer — tout en noir, mais avec une mallette d'un

rouge agressif, démodée, minuscule et rouge feu —
ça m'a fait comme un coup d'épée dans la gorge —
exactement comme la femme blonde et rayonnante.
Je sens de nouveau quelque chose d'extraordinaire
en moi, mais c'est drôle comme ça me fait mal.

Aujourd'hui, nous avons eu la répétition générale — cette fois la tente était là. Léo s'est assis
à l'orchestre, à côté de Klinkfeld et d'autres gens
très excitants qui font partie du gratin de la ville.
J'ai terriblement mal au cœur, je tremble pour ma
carrière et je vis des minutes de vertige car cette
fois ça a fait le tour du théâtre — l'histoire entre
Léo et moi. Je crois qu'il est le seul à ignorer encore
qu'il y a une liaison entre nous. Mais combien de
temps cela peut-il durer? Il finira bien par l'apprendre, de même que le coup des pyjamas qu'on
se raconte maintenant à travers tout le théâtre
comme une confidence intime. Je me sens vraiment
mal. Et par-dessus le marché cette répétition, pleine
de bruit, de tumulte, avec tous ces décors et cette
foule incroyable de soldats bariolés. J'ai écrasé
en cachette, de toutes mes forces, le pied du moine
qui prononce un discours sur un chariot, et ça pendant que le rideau était levé, si bien qu'il n'a rien
pu dire. C'est parce qu'hier et les jours précédents
il n'arrêtait pas de me pincer par-derrière, dans
l'obscurité, derrière la scène. Il y en a d'autres qui
l'ont fait aussi, mais surtout ce moine. Le cochon.
J'avais déjà remarqué que ce sont toujours les

comédiens les plus minables, ceux qui ont très peu de texte à dire, qui vous pincent et vous attaquent par-derrière — pourquoi faudrait-il que je me laisse faire? Avec les grands comédiens, je n'aurais pas réagi comme ça, s'ils avaient voulu s'accorder une petite distraction après leurs phrases interminables et leurs hurlements éreintants — d'ailleurs leur conduite n'aurait pas représenté pour moi une pareille humiliation. Mais ceux-là ne le font pas. Ce sont toujours les vieux et les minables. Ce moine m'a beaucoup plus pincée qu'il n'a de phrases à dire et je commençais à en avoir par-dessus la tête.

Depuis ce matin, tout le monde est au courant pour Léo et moi — et personne ne me pince plus. On se contente de me tourner autour, plus ou moins près, et de prendre des airs entendus quand on me parle. Le moine comme les autres. Mais je n'ai pas pu résister à l'occasion qui s'est offerte, sur scène, de me venger, et je me suis appuyée de tout mon poids sur son pied parce que, rien qu'à voir sa figure mal lavée, je savais qu'il avait des œils-de-perdrix.

L'histoire avec Léo s'est répandue à cause de la Trapper, parce que c'est moi qui ai sa phrase et que je n'ai pas l'intention de me la laisser enlever, si bien qu'elle veut aller trouver les plus hautes autorités. Ce genre de fille, c'est comme ça. Dieu merci, elle ne sait pas que c'est moi qui l'ai bouclée

dans les toilettes. Ça a créé un grand remue-
ménage parce qu'elle a passé toute une nuit assise
là-dedans et le lendemain matin c'est Wallenstein
en personne qui l'a découverte, il lui a ouvert
et elle a piqué une crise de nerfs — cette maladie-là,
à mon avis, c'est toujours du chiqué. Son père, qui
est général, veut faire jouer ses relations pour
obtenir la fermeture d'un théâtre où les jeunes
filles de bonne famille se font séquestrer dans les
toilettes. L'affaire suit son cours. Et la Trapper
son idée. Elle vient aux répétitions. Elle veut qu'on
lui rende sa phrase. Klinkfeld lui a promis une
phrase géante dans la prochaine pièce. Si bien
qu'elle voudrait que son père ne fasse fermer le
théâtre qu'après cette pièce où elle aura sa phrase
géante. Et au lieu d'attendre tranquillement elle
projette sa jalousie sur moi et va raconter partout
mon histoire avec Léo. Elle va jusqu'à faire courir
le bruit que c'est Léo lui-même qui l'a séquestrée
dans les toilettes par amour pour moi. Je trouve
que c'est vraiment abject de répandre un bruit
aussi dégueulasse à propos d'un homme vraiment
distingué. Les filles disent que rien qu'à voir la façon
dont Léo passe à côté de moi elles auraient pu
deviner qu'il est amoureux fou. En fait il ne me
regarde même pas — je le leur ai dit — elles ont
répondu que c'était justement pour ça. J'en suis
vraiment écœurée, ça ne peut pas continuer longtemps.

Tout à l'heure je vais voir Thérèse. Elle représente pour moi un havre de tranquillité après cette agitation et ce vacarme. Ils sont tous là à vouloir, effroyablement avides et bruyants, tandis que Thérèse est justement quelqu'un qui ne veut rien, — c'est un vrai bonheur. Je vais lui offrir mon collier de bois marron moucheté de jaune — et je sais qu'elle éprouvera une joie sereine.

Aujourd'hui, nous nous sommes maquillées et, dans la lumière qui venait de la fenêtre, les loges paraissaient peuplées de figures de cire. Linni ressemblait à un cadavre gonflé d'importance et peinturluré, avec des yeux comme des œufs au plat brûlés. Quant à la Trapper, on aurait dit qu'elle avait des années de trottoir derrière elle. Il a fallu que je regarde très attentivement comment elles s'y prenaient avec leurs yeux cernés et le reste — c'était très intéressant, mon visage me devenait finalement étranger. Quand je riais devant le miroir, ça faisait comme une sorte d'entaille dans ma figure. Moi qui suis évidemment tout à fait pour la poudre et le rouge à lèvres — en particulier le rouge sombre de Coty — je trouve qu'il ne faut tout de même pas se maquiller au point d'avoir un rire qui n'appartienne plus à votre visage.

Mais sur scène, avec la lumière qui venait à la fois d'en haut et d'en bas, tout était de nouveau très bien. Nous portons de grands chapeaux, taillés dans une matière médiocre, puisque c'est censé être de la marchandise produite pendant une guerre de trente ans — avec d'immenses plumes. Je me suis trouvé un chapeau avec une plume blanche, comme ça je pourrai la réutiliser. Quand on aura fini de jouer la pièce, je l'emporterai à la maison. Le reste du costume ne vaut pas un clou. Du tissu usé jusqu'à la corde, comme les vêtements que porte la mère Ellmann, qui habite à côté de chez nous, quand il lui arrive d'aller faire des ménages dans des maisons chics et qu'elle veut pousser les patronnes à lui donner des robes. Ensuite, chez elle, elle peste contre ces robes, disant que jamais elle ne mettra des saloperies pareilles et, folle de colère rentrée, elle s'en sert pour épousseter ses meubles. La Becker, qui habite au-dessus de chez elle et qui est terriblement dans le besoin, car son mari lui refile plus d'enfants que d'argent, se contenterait bien, elle, d'une blouse à moitié fichue, mais personne ne lui offre rien parce qu'elle est discrète et convenable. Je déteste la mère Ellmann, et pour des tas de raisons.

Quelle journée! J'ai eu droit à ma première de Wallenstein. J'ai reçu plus de fleurs que tous les autres comédiens réunis. J'avais prévenu tout le monde que j'allais jouer et, excepté Hubert, étaient présents au théâtre tous les hommes avec lesquels j'ai eu un jour une liaison. Je n'aurais jamais cru qu'il y en avait tant. A part eux, le théâtre était plutôt vide. Mes hommes constituaient pratiquement tout le public.

Käsemann s'est montré très correct, il m'a envoyé une corbeille de roses avec un nœud doré et des lettres rouges : « Bravo pour la jeune artiste! »

Me voilà presque une vedette. De Gustav Mooskopf, j'ai reçu des chrysanthèmes jaunes, aussi gros que la tête de ma mère quand elle s'est fait friser les cheveux. De Prengel, l'homme aux friandises, une corbeille avec des sardines à l'huile, de la purée de tomates et de l'andouille fumée de premier choix, accompagnés d'une lettre : pour dire que je ne dois pas en souffler mot à sa femme. Je m'en garderai bien. Celle-là, je la crois tout à fait capable de balancer du vitriol à la tête des gens, aussi je préfère me tenir à distance de Prengel, que j'aurais pourtant volontiers pris en considération. Johnny Klotz m'a envoyé l'avertisseur de son Opel à crédit, avec une carte : une fois de plus, il ne lui reste malheureusement pas un pfennig pour acheter des fleurs, mais il nous invite après la représentation, Thérèse et moi, au Mazurka-Bar, où il connaît un garçon à qui il peut laisser une ardoise. De la part de Jakob Schneider, j'ai eu trois boîtes de langues de chat de la meilleure qualité, avec un ruban lilas, un nœud et un dahlia jaune arrangé dessus avec beaucoup de goût, il me demande aussi d'aller avec lui, après Wallenstein, déguster un menu à la carte au Restaurant du Château. Ça m'est hélas impossible parce qu'il louche terriblement, au point que je me mets à loucher aussi quand je suis assise en face de lui et que je le regarde un certain temps — ce qui me fait perdre de mon charme. On ne peut tout de même pas exiger ça de moi.

Je me suis donc contentée d'aller tout simplement boire une bière dans une brasserie avec Thérèse et Hermann Zimmer. Hermann Zimmer travaille comme monteur et j'ai été très touchée par son bouquet d'asters — parce qu'il n'a presque pas d'argent et que c'est un ami d'enfance. Il fait partie d'un club d'athlétisme dont je suis la marraine. L'ensemble des jeunes du club m'a envoyé une couronne géante faite de lauriers et de branches de sapin, avec des rosaces de soie multicolores, qui avait primitivement été commandée par un particulier pour l'enterrement du maire, la semaine dernière — mais comme le client n'est pas allé la chercher faute de pouvoir la payer, ils l'ont eue au rabais. Une belle couronne, et qui va durer longtemps. Ça m'a créé des obligations, bien sûr, car le club d'athlétisme est venu ensuite à la brasserie et on a fait une grande fête. Tous les jeunes étaient à la galerie, après ma phrase ils ont crié « Bravo! », Hermann Zimmer tapait du pied, Käsemann s'est mis à applaudir du haut de son premier rang, Gustav Mooskopf faisait glisser son siège en signe d'admiration — ça a fait sensation. Pendant un moment, on a dû arrêter de jouer, parce que ces cris et ces bravos avaient donné à d'autres gens l'idée de siffler et de huer le spectacle, Klinkfeld tremblait dans les coulisses, il disait que c'étaient des communistes et que ça faisait un scandale dans son théâtre. Alors que c'était à cause de moi. Mais j'ai pensé qu'il valait mieux ne rien dire, et pourtant le club d'athlétisme considère que je suis une véritable attraction pour ce petit théâtre.

J'ai dansé sur la table et chanté la chanson d'Élisabeth — ils ont dit qu'ils préféraient ça à tout Schiller. Thérèse était soûle — j'avais offert à Hermann Zimmer une des andouilles fumées de Prengel pour qu'il lui baise galamment la main toutes les cinq minutes et lui dise des choses gentilles, combien elle est jolie et tout et tout — enfin le genre de choses qu'une femme a envie d'entendre quand elle est un peu partie. Si bien qu'elle est devenue tout à fait gaie. Si elle arrive finalement à oublier son homme marié, peut-être qu'elle connaîtra un nouveau printemps, ce sont des choses qui arrivent — et ça me ferait tellement plaisir.

Sans doute que demain je lui demanderai de téléphoner aux parents d'Hubert. Maintenant que j'ai la célébrité, que je suis une vedette, il ne peut plus me faire de tort. D'ailleurs je serai peut-être dans le journal, avec une critique.

Ensuite, nous nous sommes encore rendus tous ensemble au Mazurka-Bar, chez Johnny Klotz. En chemin, dans les rues pleines d'animation, nous avons fait fonctionner l'avertisseur de l'Opel au fond de la poche de mon manteau, ça faisait comme un concert-automobile-à-la-mémoire-de-l'empereur-Guillaume — tous les gens s'écartaient, il y a un type qui a chanté *Heil dir im Siegerkranz,* il était soûl. Grâce à la bouteille d'Asbach que nous trimbalions, nous avons pu lier conversation avec lui — la bouteille circulait de main en main, le Siegerkranz avait une sacrée descente et des yeux doux au regard brisé. Il nous a raconté qu'il venait justement d'engager pour la dix-septième fois sa croix de fer de première classe dans une brasserie, pour pouvoir continuer à boire, histoire de s'accorder une petite compensation après une patrouille dangereuse. Nous l'avons emmené avec nous chez Johnny, il était chauve à force de porter le casque, d'ailleurs c'est ce qu'ils prétendent tous, sauf ceux qui ont moins de trente ans. Il disait que la vie ne lui apportait plus rien et que, pour cette raison, les choses ne faisaient que commencer pour lui. Le club d'athlétisme a chanté *La Marseillaise,* c'est une chanson française, et le type a été d'avis que ça lui ouvrait de nouveaux horizons. Il s'est mis à chanter avec. Il avait du désespoir aux coins de la bouche et je lui ai fait cadeau de quelques baisers parce qu'il me faisait de la peine, je m'émeus facilement quand j'ai un coup dans l'aile.

Thérèse avait sa serviette encore pleine de lettres d'affaires du boutonneux — tout ça me paraît si loin — j'ai donc moi aussi travaillé là-bas dans le temps? Ma vie se hâte, c'est comme un marathon de six jours. Les lettres devaient être expédiées mais n'étaient pas encore affranchies, les timbres s'en allaient en morceaux au fond de la serviette. Il valait mieux qu'elles partent, elles me rendaient nerveuse et Thérèse, à force de boire, devenait butée comme trente-six mules — nous avons mouillé les timbres avec du Cherry Cobler après que Johnny eut léché la colle d'un bon quart d'entre eux, au point de les rendre inutilisables. Thérèse est allée jusqu'à la boîte aux lettres de l'autre côté de la rue, et elle a erré une bonne demi-heure avant de revenir. Elle a un sens de l'orientation déplorable — quand elle doit se rendre aux toilettes dans un café, il faudrait lui donner un compas. Les garçons se sont mis à trois pour soulever une table à bout de bras — avec moi dessus, ainsi que le maître d'hôtel de Johnny qui pèse au moins deux cents livres. Une performance splendide qui ne peut s'expliquer que par l'enthousiasme et un entraînement très dur. C'était extraordinaire.

Puis nous avons parcouru les rues en chantant des chansons, mais pas politiques, c'était ce que je souhaitais. *Meunier tu dors* et *Le vol du coucou*, une chansonnette si innocente que je me demande parfois s'il ne se cache pas là-dessous quelque obscénité. Un flic a voulu nous dresser un procès-verbal, le club d'athlétisme lui a proposé un peu d'Asbach mais il ne s'est pas laissé faire. Alors je lui ai jeté un regard brûlant — comme ça — et j'ai déposé un baiser sur un bouton de son uniforme, qui s'est aussitôt terni. Il a fermé les yeux. Nous n'avons pas eu de procès-verbal.

Je me sens si lasse, et en même temps fiévreuse, excitée. Je croule sous les roses et sous une quantité phénoménale de fleurs. J'ai accroché la couronne de lauriers au-dessus de mon lit, là où était suspendue Thusnelda, avec ses bras gros comme un corps d'enfant — mais la couronne me touche de plus près. Sur la petite table de nuit, si minable — je l'ai achetée aux Becker, parce qu'ils étaient vraiment dans la dèche, et malgré ce petit air qu'elle a de conjugalité pauvre — j'ai posé la corbeille de roses de Käsemann, le nœud s'étale jusque sur mon oreiller. Je vais poser mon visage dessus et m'endormir sur les lettres rouges : « Bravo pour la jeune artiste! » M'endormir seule, hélas, une fois de plus.

Chaque fois que j'entends sonner, je deviens folle. Mon Dieu, aidez-moi! Me voilà dévedettisée, ma carrière est fichue, tout est fichu — en fait, « tout est fichu » signifie pour moi : tout commence. Mon cœur est un phonographe qui joue un air irritant, l'aiguille pointue court sur ma poitrine — poitrine que je n'ai pas, d'ailleurs — le terme est si grossier, il fait penser aux enfants qu'on allaite et à ces vieilles chanteuses d'opéra chez qui on ne sait pas ce qui l'emporte, la poitrine ou la voix. J'écris fiévreusement, les mains tremblantes, pour tuer le temps, dans la chambre meublée de Thérèse — une chambre indépendante, bien qu'elle n'en ait pas l'usage — c'est toujours comme ça : ce dont on n'a pas besoin, on l'a et ce dont on aurait besoin, on ne l'a pas. Grand Dieu, mes lettres tremblent sur le papier comme des pattes de moustique agonisant. Il faut que je m'arrête.

C'est ce soir que je m'enfuis. A Berlin. Là-bas, on disparaît dans la foule et Thérèse y a une amie — chez qui je peux aller. Je voudrais pleurer. Mais il y a en moi un désir qui fait que j'en suis là. Ma tête est un four chauffé au charbon. A tout moment je peux être arrêtée — à cause du manteau en petit-gris, à cause de la mère Ellmann, à cause de Léo, à cause d'un flic ou à cause du papa général de la petite Trapper... Et tout ça pour Hubert, pour cette pression étrangère que je sens au-dedans de moi, dans mon ventre.

C'était hier soir — nous avions Wallenstein. J'arrive au théâtre pour le maquillage — Thérèse était déjà là à m'attendre — elle en avait fini avec le bureau alors que moi je commençais seulement.

Elle me dit : « Doris, Hubert a téléphoné. » Il s'était renseigné à mon sujet, il m'avait appelée chez le boutonneux, Thérèse s'était emparée du téléphone et elle avait combiné un rendez-vous entre nous au café Küpper, à huit heures, après le Camp.

Ce jour-là, je portais justement mon vieil imperméable, ce qui m'arrive peut-être une fois par an — moins à cause de la pluie que parce que j'avais du sommeil en retard, si bien que je voulais rentrer directement à la maison, et comme je connais ma faiblesse face aux tentations nocturnes, j'avais mis cet abominable imper avec lequel je ne me montrerais pas où que ce soit pour tout l'or du monde.

J'adore Thérèse, elle se conduit d'une façon fabuleuse. Quand je serai une vedette, je la ferai profiter de mon nouvel état, je ferai d'elle ma sous-vedette. J'ai si peur. Quand on met une femme en prison, est-ce qu'on lui enlève sa poudre? Je n'y suis jamais allée. Thérèse non plus. Mon Dieu, et mon père! Il faut réfléchir à tout, très précisément. Ça y est — je crois qu'on a sonné — mes yeux dégringolent à l'intérieur de ma tête avec un grand cri — je ne vais pas ouvrir — s'ils viennent, j'escaladerai la fenêtre et je sauterai — je ne me laisserai pas prendre. Jamais, jamais, jamais. Au grand jamais. Je me sens solide comme un revolver. Je suis un roman policier. Aide-moi, mon Dieu — je graverai sur mon bras « Merci mon Dieu » avec un couteau, très profondément, jusqu'au sang, si tu fais que j'arrive saine et sauve à Berlin.

Tout est calme — ce sont mes nerfs qui ont

sonné. Je me mords la main — ça fait si mal que ma peur s'arrête.

J'en étais à mon vieil imperméable — et à Hubert — au café Küpper — plus le temps d'aller jusqu'à la maison chercher le manteau au renard. Me voilà bien embarrassée. C'était pourtant pour Hubert que je me voulais toute rayonnante et froufroutante. Nous étions en train de nous démaquiller avec du gras — moi avec de la margarine Schwan Ruban Bleu que j'ai apportée en cachette de la maison — surgit le portier qui me crie de la porte : « Dès que vous serez prête, allez trouver le Directeur. » La margarine Ruban Bleu se met à me dégouliner dans les yeux — mon Dieu, me voilà dans un état... On en était donc arrivé là. Léo — les pyjamas avec des roses — les filles me regardaient et se lançaient des coups d'œil significatifs, elles croyaient à des débordements de passion. Je savais mieux qu'elles ce qu'il en était. J'ai trouvé encore la force de faucher en douce la plume blanche du chapeau de Wallenstein — elle est maintenant posée à côté de moi. J'avais une envie furieuse d'Hubert, c'est-à-dire d'un homme avec un petit abri dans le creux de l'épaule où je pourrais tranquillement poser la tête pendant que je lui laisserais prendre de l'avance sur moi. Vouloir une chose de ce genre, ça se paie. Je m'en doutais, mais mon cœur n'avait pas envie de le savoir. Maintenant, c'est la Trapper qui a ma phrase, j'espère qu'elle va trébucher et se casser la figure en se ruant hors de la tente. J'ai remballé mon petit bloc de margarine — pourquoi faudrait-il que je fasse un cadeau à cette saloperie de théâtre? — ainsi que les crayons pour souligner les yeux — je venais juste de les acheter.

Je suis allée au vestiaire de l'orchestre pour voir ma mère, qui sait à l'occasion se montrer compréhensive. Mais on ne peut rien comprendre aux autres quand on ne vit pas les choses avec eux, quand on ne baigne pas dans la même atmosphère, qui fait qu'ils agissent comme ci ou comme ça. D'ailleurs, ma mère n'était pas là — à sa place il y avait cette sorcière d'Ellmann, qui habite à côté de chez nous. Elle était assise là et elle dormait comme une bûche, sans besoin ni raison. Alors j'ai aperçu un manteau suspendu à une patère — une fourrure si douce, si moelleuse. Si tendre et grise et timide, je l'aurais embrassée tellement je m'étais prise d'amour pour elle. Elle évoquait pour moi le réconfort, la foule de saints et cette sécurité totale que l'on trouve au ciel. C'était du petit-gris véritable. J'ai ôté doucement mon imperméable, j'ai enfilé le petit-gris, et j'ai éprouvé alors à l'égard de mon pauvre imper abandonné un mélange de tristesse et de remords, comme une mère qui ne veut pas de son enfant parce qu'il est trop laid. Mais quelle allure j'avais! J'ai pris la résolution de me présenter ainsi à Hubert et de venir ensuite remettre le manteau à sa place, avant la fin de la représentation. Mais quelque chose en moi savait déjà que jamais je ne restituerais le manteau, et puis j'étais bien trop angoissée à la perspective de remettre les pieds dans ce théâtre, d'avoir encore à parler à Léo, de croiser le regard de la mère Ellmann, d'entendre sa voix et tout le reste.

Le manteau de fourrure exerçait sur ma peau une sorte de magnétisme, elle l'aimait, et ce qu'on aime on ne le rend pas, une fois qu'on l'a. Mais je me mentais à moi-même sur tout ça et je croyais réellement que j'allais revenir. A l'intérieur, une doublure en crêpe marocain, pure soie, brodée main.

Je suis allée au café Küpper. Hubert était déjà là, il avait des cernes autour des yeux, comme des pneus Kléber, lui qui autrefois avait toujours une peau de bébé sortant du bain — il n'en restait rien du tout. Nous nous sommes tutoyés avec tant de distinction que c'était comme si nous nous disions « vous ». Mais ma bouche était ouverte pour ses baisers parce qu'il était triste. Pourtant, il avait une admiration pour moi qui n'était pas une bonne chose et qui ne me rendait pas fière. Le manteau m'enveloppait et son cœur battait plus fort pour moi que celui d'Hubert.

J'ai tout de suite compris que sa vierge authentique lui avait fait faux bond, de même que son

professeur de père, qu'il n'avait plus d'emploi et
qu'il était là pour tuer le temps. Il m'a dit : « Les
choses ont l'air d'aller pour toi, Doris — ça se voit
et Thérèse m'a parlé de ta carrière.

— Merci », lui ai-je répondu.

Et Léo qui m'attendait — à cause des pyjamas
— il se faisait tard — et la mère Ellmann — je me
sentais arrachée au monde — et mon père furibond
— tout était fichu — Hubert n'était plus qu'un souvenir mort, il n'était pas assis là, vivant — j'aurais
voulu extraire de moi quelques sentiments pour
lui mais c'était comme lorsque je regardais sa
photo, quand j'étais soûle, en m'efforçant de croire
qu'elle me parlait — en me donnant suffisamment
de mal, j'arrivais quelquefois à m'en persuader.

Ensuite, je suis allée avec lui. J'ai couché avec
une photographie. C'était très froid. Il m'a inter-
rogée sur mes cachets, il voulait que je l'aide. Mais
je n'ai rien. J'ai dit : « Thérèse a laissé un peu de
viande froide, tout ça n'est pas si terrible », mais
j'étais au bord de dire que tout était fini.

J'ai fait pourtant une tentative : « Hubert, tu
n'as rien, je n'ai rien non plus, c'est suffisant —
ensemble, nous essaierons de faire quelque chose
de ce rien. » Alors la déception s'est peinte sur
son visage, si bien que j'en ai eu le cœur soulevé
de dégoût.

Je me suis lavé la figure. Il faisait à peine jour,
je voyais son visage dans le lit, qui me rendait

furieuse et me répugnait. Coucher avec un étranger, qui ne vous concerne pas, et pour rien du tout, ça rend une femme mauvaise. Il faut toujours savoir pourquoi. Pour de l'argent ou par amour.

Je suis sortie. Il était cinq heures du matin, l'air était blanc, froid et mouillé comme un drap sur une corde à linge. Où aller? Il m'a fallu errer dans le parc au milieu des cygnes, qui ont de petits yeux et de longs cous avec lesquels ils détestent les gens. Je peux comprendre ça, mais moi non plus je n'aime pas les cygnes, bien qu'ils bougent et que l'on puisse trouver auprès d'eux une certaine consolation. Tout m'a abandonnée. J'ai connu des heures glacées, c'était comme si j'étais enterrée dans un cimetière, en automne et sous la pluie. En fait il ne pleuvait pas du tout, sinon je me serais abritée sous un toit, à cause du petit-gris.

Je suis si élégante dans ce manteau de fourrure. Il est comme un homme exceptionnel qui me rendrait belle simplement par son amour pour moi. Il a certainement appartenu par erreur à une grosse femme — une femme bourrée d'argent. Il sent les chèques et la Banque d'Allemagne. Mais ma peau a plus de pouvoir, maintenant il sent mon odeur et le chypre — qui fait partie de moi depuis que Käsemann m'en a généreusement offert trois flacons. Ce manteau me désire et je le désire, nous sommes l'un à l'autre.

74

Fin de l'été — une ville moyenne

Je suis allée voir Thérèse. Elle a reconnu avec moi que je n'avais plus qu'à m'enfuir, parce que « fuite » est pour elle un mot érotique. Elle va me donner de l'argent qu'elle a mis de côté. Mon Dieu, je le lui rendrai, je le jure, avec des diamants et du bonheur en plus.

2.

Fin de l'automne — la grande ville

Je suis à Berlin. Depuis quelques jours. Après une nuit de voyage et avec quatre-vingt-dix marks en poche. Il va falloir que je vive avec ça jusqu'à ce que se présente à moi une source quelconque de revenus. C'est du sensationnel que je viens de vivre. Berlin s'est posée sur moi comme une courte-pointe ornée de fleurs couleur de flamme. L'Ouest est très distingué, avec une quantité considérable de lumières — comme des pierres fabuleuses, hors de prix, serties dans des chatons estampillés. Une vraie débauche d'enseignes lumineuses. Un scintillement, tout autour de moi. Et moi avec mon petit-gris. Des hommes chics comme ceux qui font la traite des femmes, non pas qu'ils fassent précisément la traite des femmes, car ça n'existe plus — mais ils ont cet air-là parce qu'ils la feraient certainement si ça pouvait leur rapporter quelque chose. Beaucoup de chevelures noires et brillantes et des yeux nocturnes, très enfoncés. Tout à fait excitant. Sur le Kurfürstendamm on voit un grand nombre de femmes. Elles se contentent de marcher. Elles ont toutes le même visage et souvent des manteaux en taupe — elles ne sont donc pas de toute première classe — mais chic quand même — avec leurs jambes insolentes et une sorte de halo autour d'elles. Il y a un métro, on dirait un cercueil éclairé sur des rails — il va sous terre, ça sent le renfermé et on y est complètement écrasé. C'est avec ça que je me déplace. C'est très intéressant et ça va vite.

J'habite chez Tilli Scherer dans la Münzstrasse, c'est près de l'Alexanderplatz, on n'y voit que des chômeurs sans chemises, terriblement nombreux. Nous vivons dans deux pièces, Tilli a des cheveux teints en doré et un mari en voyage qui travaille à Essen dans les rails de tramway. Elle, elle fait du cinéma. Mais elle n'arrive pas à obtenir de rôle, à la Bourse les choses ne se passent pas de façon très juste. Tilli est moelleuse et ronde comme un polochon et elle a des yeux comme des billes de verre bleu bien astiquées. Il lui arrive de pleurer, parce qu'elle aime bien qu'on la console. Moi aussi. Sans elle, je n'aurais pas de toit. Je lui suis très reconnaissante, nous avons la même manière d'être et nous ne nous empoisonnons pas la vie. Quand je vois son visage, pendant qu'elle dort, j'ai pour elle plein de pensées gentilles (quand on se tient près de quelqu'un qui dort, il ne peut pas vous influencer). Il y a aussi des omnibus — très hauts — comme des belvédères, qui foncent à toute allure. J'en prends un quelquefois. Chez moi aussi il y avait beaucoup de rues, mais elles étaient comme apparentées les unes aux autres. Ici, il y en a encore bien davantage, tellement qu'elles ne se connaissent pas entre elles. C'est une ville fabuleuse.

Je vais aller tout à l'heure dans un certain Jockeybar avec un type du style traite des femmes, qui n'est pas particulièrement mon genre. Mais ça me fait pénétrer dans un milieu qui m'ouvre des horizons. Tilli dit elle aussi que je dois le faire. Maintenant je suis sur le Tauentzien, chez Kuntz, c'est un café sans musique mais bon marché — plein de gens pressés qui cavalent, on dirait des nuages de poussière, c'est à ça qu'on se rend compte qu'il y a de l'animation dans le monde. J'ai sur moi ma fourrure et je fais mon petit effet. De l'autre côté de la rue, il y a une église commémorative, personne ne peut y entrer à cause des voitures qui circulent tout autour, mais elle a une signification et Tilli dit que c'est elle qui bloque la circulation.

Ce soir, je vais prendre mon livre et tout consigner dans l'ordre, tant de choses se sont accumulées en moi.

Ce soir-là, donc, Thérèse m'a aidée à m'enfuir.

J'étais pleine de frissons et d'angoisse mais aussi d'un sentiment de joie et d'attente extraordinaire, car tout allait être nouveau pour moi, exaltant et sensationnel. Thérèse est allée voir ma mère, l'a mise discrètement au courant, et lui a dit que je les élèverais, elle et Thérèse, à un rang princier, si j'arrivais à mes fins. Ma mère, je sais qu'elle est capable de garder un secret, elle est vraiment prodigieuse parce qu'à plus de cinquante ans elle n'a rien oublié de ce qu'elle était autrefois. Il ne faut pas qu'on m'envoie de vêtements, c'est trop dangereux, si bien que je n'ai en tout et pour tout qu'une chemise — que je lave le matin, et je reste couchée jusqu'à ce qu'elle soit sèche. J'ai besoin de chaussures et de tout un tas de choses. Mais ça viendra. Je ne peux même pas écrire à Thérèse à cause de la police qui doit sûrement me rechercher — car je connais la mère Ellmann, je sais que c'est une brute et qu'elle est toujours prête à faire avoir des histoires aux autres.

Ça m'est complètement égal qu'elle ait des ennuis à cause de moi, parce qu'elle a fait rôtir Rosalie et qu'elle l'a mangée — c'était notre chatte, une bête très douce avec des moustaches soyeuses et une fourrure comme un nuage de velours blanc taché d'encre. La nuit, elle dormait couchée sur mes pieds, si bien qu'elle leur tenait chaud — j'en pleurerais — je me suis commandé une part de tarte aux cerises hollandaises, et maintenant je n'arrive pas à la manger tant je suis triste en pensant à Rosalie. Mais je vais l'envelopper et l'emporter. Elle a disparu d'un coup et elle n'est pas revenue, ce qu'elle ne faisait jamais parce qu'elle était habituée à moi. Je me suis mise à la fenêtre et j'ai crié « Rosalie! » — dans la nuit, en direction de la gouttière. J'étais très triste à cause de cette bête, parce qu'elle me tenait chaud, et pas seulement aux pieds. Ce qui est comme ça petit, moelleux, et tellement sans défense qu'on peut le prendre dans ses deux mains, ça vous inspire toujours beaucoup d'amour. Le dimanche, je vais chez la mère Ellmann pour récupérer la râpe à céleri qu'elle nous a empruntée, cette andouille qui préférerait crever plutôt que d'acheter ce qu'elle peut emprunter aux autres. Ils étaient justement sur le point de se mettre à table. Le père Ellmann — toujours hirsute, avec son air de missionnaire mal rasé, son regard d'hypocrite prêt à dévorer de pauvres nègres sur une île sous prétexte de les convertir — était si plein de convoitise qu'il avait les dents qui lui sortaient de la bouche, ça jetait un éclat jaune. Sur la table, il y avait un plat qui contenait quelque chose de rôti — à l'allure générale, j'ai reconnu Rosalie. De même qu'à la peur que je lisais dans les yeux perçants de la mère Ellmann. Je lui ai crié ça à la figure et elle s'est mise à débiter de tels mensonges que je me suis dit : Tu as deviné juste. Alors, au milieu de mes larmes et de mon affliction, je lui ai balancé la râpe à céleri en pleine poire, si bien qu'elle a commencé à saigner du nez et que ses yeux sont devenus tout bleus, mais ce n'était pas encore assez, parce que Ellmann, lui, avait du travail, et ils mangeaient donc à leur faim, ils n'avaient aucun besoin de Rosalie. Ma mère a souvent été dans des situations bien pires mais jamais nous n'aurions fait rôtir Rosalie, car c'était un animal domestique doté d'une intelligence humaine — chose qu'on ne doit en aucun cas manger. C'est une raison supplémentaire pour que je garde le petit-gris. Ça m'a fichue par terre de me rappeler tout ça.

J'ai voyagé toute une nuit. Un homme m'a offert trois oranges. Il avait un oncle qui possédait une usine de cuir à Bielefeld. Et c'est bien à ça qu'il faisait penser. Comme je m'étais fixé Berlin pour objectif, qu'est-ce que j'aurais pu faire d'un type qui voyageait en troisième classe et qui, avec son oncle plein de cuir, se donnait des airs de voyager en seconde, ce qui paraît toujours idiot. Il avait des cheveux poisseux, d'un blond poussiéreux, très gras. Et des doigts de fumeur. Au bout d'une heure, je connaissais les noms de toutes les femmes avec lesquelles il avait eu une aventure. Des histoires dramatiques, naturellement, des femmes complètement folles à qui il avait brisé le cœur et tout le reste en les quittant — et qui se jetaient du haut des clochers, qui s'empoisonnaient et s'étranglaient, tout ça pour finir mortes, à cause de l'homme au cuir. On connaît ça, c'est fou ce que les hommes peuvent raconter quand ils veulent essayer de vous prouver qu'ils ne sont pas aussi moches qu'ils en ont l'air. Une fois pour toutes, dans ces cas-là je me tais et je fais comme si je gobais tout. Quand on veut avoir sa chance auprès des hommes, il faut se faire passer pour idiote.

Je suis arrivée à la gare de la Friedrichstrasse, où il y avait une animation extraordinaire. J'ai appris qu'avant moi étaient arrivés de grands hommes politiques français et que Berlin avait appelé les masses à se rassembler. Ils s'appellent Laval et Briand — quand on est une femme qui passe pas mal de temps assise dans des cafés, à attendre, on connaît leur tête par les photos des journaux. Je me suis mêlée à la foule et j'ai suivi la Friedrich-strasse, qui était pleine de vie et de couleurs, ça me faisait penser à un tissu écossais. Il y avait dans l'air une excitation terrible. Mais je me suis dit tout de suite que ça devait être exceptionnel car les nerfs d'une ville aussi grande que Berlin n'auraient pas pu supporter tous les jours une pareille exaltation. Je me suis sentie un peu étourdie mais j'ai continué mon chemin — l'atmosphère était enivrante. Les gens galopaient et m'entraînaient avec eux. Nous nous sommes retrouvés devant un hôtel très chic, qui s'appelle l'Adlon — tout était rempli de monde et de flics qui n'arrêtaient pas de pousser. Ensuite, les hommes politiques sont apparus au balcon, de minuscules points noirs. Alors, la foule n'a plus été qu'un cri, je me suis laissé entraîner avec elle, par-dessus les flics, sur le trottoir, les gens voulaient que la paix leur soit catapultée de là-haut par les grands hommes politiques. Moi, j'ai crié avec eux, parce que ces innombrables voix me pénétraient dans le corps et ressortaient par ma bouche. Et, d'émotion, je me suis mise à pleurer, comme une idiote. Voilà comment s'est passée mon arrivée à Berlin. J'ai tout de suite fait partie vraiment des Berlinois — ce qui a été pour moi un plaisir extraordinaire.

Nous avons tous crié des choses à propos de la paix — je me disais : C'est bien, il faut le faire, sans quoi on aura la guerre — Arthur Grönland m'a un jour donné une information : il paraît que dans la prochaine guerre il y aura des gaz puants qui rendent vert et qui font gonfler. Ça, je n'en veux pas. C'est pour ça que j'ai crié avec les autres sous le balcon des hommes politiques.

Ensuite, les gens se sont dispersés peu à peu, et j'ai senti monter en moi de grandes pensées et un désir pressant d'obtenir des renseignements sur la politique, sur ce que veulent les hommes d'État et tout et tout. Les journaux m'ennuient affreusement et en plus je ne les comprends pas bien. J'avais besoin de quelqu'un qui m'éclaire et l'énorme vague d'enthousiasme, en se retirant, a déposé sur mon rivage un homme — un peu de l'atmosphère de fraternité générale était encore au-dessus de nos têtes, comme une cloche à fromage — nous sommes allés dans un café. Il était pâle et portait un complet bleu marine, il avait un petit air de Nouvel An — comme s'il venait de partager ses derniers sous entre le facteur et le ramoneur. Mais ce n'était pas le cas. Il était employé municipal et marié. J'ai bu du café et mangé trois parts de tarte aux noix — dont une avec de la crème, car j'avais sacrément faim — et j'étais très avide d'explications politiques. J'ai donc demandé au monsieur bleu marine et marié pourquoi ces hommes d'État étaient venus. Là-dessus, il se met à me raconter que sa femme a cinq ans de plus que lui. Je lui demande pourquoi on a poussé des cris en faveur de la paix, alors que nous sommes justement en temps de paix, ou du moins pas en guerre. Il me répond que j'ai des yeux comme des mûres. J'espère qu'il a voulu dire : des mûres bien noires. J'avais peur de paraître idiote mais j'ai demandé prudemment pourquoi les hommes politiques français nous avaient tellement émus du haut de leur balcon — si ça voulait dire que les gens étaient d'accord quand il y avait partout un tel enthousiasme, et si c'était bien certain qu'il n'y aurait plus jamais la guerre. Alors le monsieur bleu marine et marié me répond qu'il vient du Nord et que c'est pour

ça qu'il est terriblement renfermé. Je sais d'expérience que tous ceux qui commencent par vous
dire : « Moi, vous savez, je suis un être terriblement renfermé », ne le sont justement pas du tout
et qu'ils vont tout vous déballer, ça ne fait jamais
un pli. C'est à ce moment-là que je me suis rendu
compte que la cloche à fromage de la fraternité,
au-dessus de nos têtes, se soulevait peu à peu et
s'éloignait de nous. J'ai fait une dernière tentative et
j'ai demandé si les Français et les Juifs, c'était la
même chose, pourquoi ils constituaient des races
et pourquoi les nationalistes ne les aimaient pas à
cause de leur sang — et est-ce que c'était risqué
pour moi d'en parler — dans une période où les
assassinats politiques recommençaient. Il s'est mis
à me raconter que pour le Noël précédent, il avait
offert un tapis à sa mère, qu'il avait très bon cœur
et qu'il avait dit à sa femme que c'était un peu fort
de sa part de lui reprocher de s'être acheté un para-
pluie en soie mélangée au lieu de faire refaire le
grand fauteuil, à cause duquel elle avait honte d'inviter ses dignes amies — dont l'une est professeur
— à venir prendre le café avec elle — et aussi qu'il
avait balancé en pleine figure à son chef qu'il ne
savait rien de rien — que j'avais en moi un sentiment dont il avait besoin, qu'il était un homme seul
et qu'il ne pouvait s'empêcher de dire toujours la
vérité. Je sais bien que les gens qui « ne peuvent
s'empêcher de dire toujours la vérité » sont préci-

sément ceux qui ne cessent de mentir. J'ai perdu
tout intérêt pour le monsieur bleu marine et marié,
car mon cœur était agité de graves préoccupations
et n'éprouvait aucune tentation pour des simagrées amoureuses sans rime ni raison avec un
employé municipal. Je lui ai dit : « Un instant, s'il
vous plaît » et je me suis éclipsée discrètement par
une autre porte. J'étais bien triste de n'avoir pas
obtenu la moindre explication politique. Mais
j'avais tout de même mangé trois parts de tarte à
la noix — dont une avec de la crème — ce qui me
faisait économiser un déjeuner. Des explications
politiques ne m'auraient certainement pas amenée
à ce résultat.

Je suis entrée en pourparlers avec un flic de la
circulation pour savoir comment me rendre à Frie-
denau, où je devais aller trouver Margot Weissbach, l'ancienne copine de Thérèse. On m'a fait
entrer dans une pièce, où Margot Weissbach loge
avec son chômeur de mari. Ce n'était plus Margot,
mais une Marguerite dont la vie n'était pas facile,
ça se lisait sur son visage. Elle était sur le point
de mettre au monde son premier enfant. Nous nous
sommes dit bonjour, et aussitôt tutoyées parce
que nous savions déjà toutes les deux, sans rien
nous dire, que ce qui arrivait à l'une pouvait aussi
bien arriver à l'autre. Elle a trente ans passés, mais
l'accouchement n'a pas posé de problème.

Je suis allée chercher la sage-femme parce que

cet abruti de mari était incapable, dans son excitation, de faire autre chose que de fumer des cigarettes à trois pfennigs. J'ai donné dix marks à la sage-femme, je lui ai dit de se dépêcher et que, pour le reste de la somme, elle s'en remette à moi. Il n'y avait pas trois heures que j'étais à Berlin et j'avais déjà des dettes chez une sage-femme, espérons que ce n'est pas un mauvais présage. Je suis restée auprès de Marguerite pendant ses douleurs. Ce sont des moments où l'on a honte de ne pas souffrir aussi.

C'est une fille. Nous l'avons appelée Doris, parce que j'étais là et qu'il n'y avait personne d'autre — excepté la sage-femme, mais elle s'appelle Eusébie. J'ai dormi la nuit sur un matelas à côté du lit de Marguerite, parce qu'elle pouvait encore avoir besoin de quelqu'un. A côté de moi, l'enfant reposait dans une caisse faite de planches assemblées, capitonnée tout autour, et garnie de couvertures moelleuses avec dessus des roses brodées. C'était bien la seule note de couleur dans la pièce. De l'autre côté de l'enfant était couché le mari. Il avait une respiration profonde, parce qu'il était heureux que tout se soit bien passé pour Marguerite, ça se voyait, même s'il prenait l'air dur et grincheux. Pendant que Marguerite dormait, il a dit des choses pas très gaies : qu'est-ce que l'enfant allait devenir, ils ne savaient pas eux-mêmes ce qu'ils allaient bien pouvoir faire, il aurait mieux fait de ne pas venir au monde. Mais je l'ai vu en cachette, pendant la nuit, relever la tête dans l'obscurité, se pencher sur la caisse et déposer un baiser sur les roses brodées. Je suis devenue livide de peur car s'il avait su que je l'avais vu, je crois bien qu'il m'aurait tuée. Il y a des hommes comme ça. Marguerite croit qu'elle va retrouver une place d'employée de bureau, maintenant que c'est fini.

Le matin, l'enfant a crié comme un réveil et il nous a tous tirés du lit. L'air était comme une boulette toute ronde qu'on n'arrivait pas à avaler. Le bébé pèse huit livres et il est en bonne santé. Marguerite le nourrit et elle va bien. Le mari a fait chauffer du café et du lait. Moi, j'ai fait les lits. Le mari était de sombre et méchante humeur. Il se serait senti gêné de dire des paroles gentilles à Marguerite mais on voyait qu'elles étaient en lui. Ensuite, il est parti chercher du travail, mais sans grand espoir.

Marguerite dit que quand il reviendra il va pester contre elle et lui faire des reproches et que c'est parce qu'il ne croit pas en Dieu, ou ce qu'on appelle comme ça. Car un homme dans son genre a particulièrement besoin d'un Bon Dieu pour pouvoir s'en prendre à lui et lui en vouloir quand tout va de travers. Lui, il n'a personne sur qui déverser ses jurons et sa haine, et c'est pour ça qu'il reporte tous ses reproches sur sa femme, seulement à elle, ça lui fait quelque chose — tandis que Dieu, lui, ou ce qu'on appelle comme ça, il s'en fiche — c'est pour ça qu'il faudrait que ce type ait une religion, ou alors qu'il fasse de la politique parce que là aussi on peut tempêter tant qu'on veut.

Je leur ai dit au revoir, parce que je ne pouvais tout de même pas rester là. Marguerite m'a donné l'adresse de Tilli Scherer, qui est une de ses anciennes collègues de bureau, mariée elle aussi mais dont le mari est, paraît-il, souvent absent. En route, j'ai acheté trois langes et j'ai fait broder dans les coins une branche verte, en coton lavable, pour que ça porte bonheur, et je les ai fait envoyer aux Weissbach parce que l'enfant s'appelle comme moi.

Je suis allée chez Tilli Scherer. Nous nous sommes mises d'accord et elle m'a acceptée. Elle aussi veut devenir une vedette. Elle ne me demande pas d'argent. Simplement qu'un jour sur deux je lui prête mon petit-gris pour la matinée, quand elle va à la bourse aux films. Je ne le fais pas de bon cœur — pas par avarice mais parce que tout de suite c'est comme s'il s'imprégnait d'une haleine étrangère. Moi aussi, j'ai fait des tentatives dans le cinéma, mais ça n'offre pas beaucoup de perspectives.

Je progresse tout doucement. J'ai cinq chemises en soie de Bemberg avec des ourlets ajourés à la main, un sac en veau avec un peu de crocodile, un petit chapeau de feutre gris et une paire de chaussures avec les pointes en lézard. En revanche ma robe rouge, que je porte du matin au soir, commence à lâcher sous les bras. Dans un bar, j'ai noué des relations avec une entreprise de textiles, qui malheureusement ne marche pas très fort.

Mais dans l'ensemble je ne peux pas me plaindre. Je me trouvais sur le Kurfürstendamm, j'étais devant un magasin de chaussures, j'ai repéré une paire ravissante. Alors une idée m'est venue — je me suis fabriqué une assurance de très grande dame, le petit-gris m'était pour ça d'une grande utilité — j'ai arraché le talon d'une de mes chaussures et je suis entrée en boitant dans la boutique. J'ai posé le talon dans la main du chef de rayon noir.

Il me dit : « Chère Madame? »

Alors moi : « Quelle malchance, juste au moment où je m'apprêtais à aller danser, je n'ai plus le temps de rentrer à la maison et pas suffisamment d'argent sur moi... »

Je suis sortie du magasin avec les chaussures à pointes en lézard et le soir même je suis allée dans un cabaret avec le chef de rayon. Je lui ai dit que j'étais une nouvelle artiste de chez Reinhardt, nous avons tous les deux terriblement menti mais, par complaisance réciproque, chacun a fait semblant de croire ce que racontait l'autre. Il n'est pas bête, et c'est un galant homme. Il a un genou raide, ça lui ôte de son assurance et c'est pour ça qu'il tombe amoureux des femmes.

Au Jockey, j'ai fait la connaissance de la Lune Rouge — sa femme est en voyage, parce que les temps sont durs et que les stations balnéaires coûtent moins cher en octobre qu'en juillet. C'est seulement par hasard qu'il se trouvait au Jockey, parce qu'il n'est pas un homme moderne et que l'époque actuelle le dégoûte à cause de son immoralité et de la politique. Il souhaite le retour de l'Empereur, il écrit des romans et il est connu depuis longtemps. Il paraît qu'il a du génie. Et des principes : les hommes ont le droit mais pas les femmes. Je me demande bien comment les hommes peuvent exercer leurs droits sans les femmes. L'imbécile.

Il m'a appelée « Ma Petite » — et il gonflait le ventre en signe de supériorité. Quand il a eu cinquante ans, tous les journaux se sont mis à lui faire des courbettes. Il a un public. Et aussi de solides bases culturelles à cause de ses études. Il jouit d'une certaine considération. Au Jockey, il étudie les gens. Moi, par exemple. Il a écrit de nombreux romans sur le peuple allemand et maintenant on trouve dans les librairies des analyses démoralisantes produites par des petits Juifs. Alors lui, il ne marche plus.

La Lune Rouge a un roman, *La Prairie en mai,* qui a été imprimé cent mille fois. Il continue à écrire et maintenant ça s'appelle *L'Officier blond.* Il m'a invitée. Il possède un bel appartement —

rien que des livres et d'autres trucs du même genre,
et une chaise longue qui a l'air de vous tendre les
bras. J'ai bu du café et de la liqueur et j'ai beaucoup mangé. La Lune Rouge s'est mis à transpirer
et à avoir des battements de cœur parce que nous
n'avions pas bu du déca. Je ne les aime pas — ni le
café, ni La Lune Rouge. Mais il y avait aussi de
l'eau-de-vie de Dantzig — dans le verre, ça fait
comme un petit lac scintillant avec de minuscules
fragments d'or qui flottent à la surface — on ne
peut pas les attraper, ça ne se fait pas d'essayer,
et quand on essaie, c'est comme si on voulait
prendre ses yeux entre ses doigts, on n'y arrive pas
— alors à quoi bon se conduire mal? Mais c'est
chouette de savoir qu'on boit de l'or, qui a bon
goût et qui va vous rendre soûle — c'est comme
un violon, comme un tango dans un verre. *Je
t'aime, brune madone* — si seulement je me trouvais avec quelqu'un qui me plaise. Qui me plaise,
qui me plaise, qui me plaise. Que sa voix soit
cristalline et brillants ses cheveux — que le creux
de ses mains soit juste fait pour ma tête et sa
bouche juste faite pour attendre la mienne. Existe-
t-il des hommes qui soient capables d'attendre
jusqu'à ce qu'on veuille vraiment? Il vient toujours
un moment où on en a envie, mais eux ils en ont
envie un instant trop tôt et moi, c'est comme si on
me jetait une pierre froide dans le ventre.

Moi — et mon petit-gris — il est contre moi —

ma peau se contracte de désir, du désir que quelqu'un me trouve belle dans mon petit-gris, quelqu'un que je trouverais beau moi aussi. Je suis
dans un café — il y a un air de violon qui pousse
vers mon cerveau des nuages chargés de larmes —
quelque chose pleure en moi — j'ai envie d'enfoncer
mon visage dans mes mains pour qu'il ne soit pas
si triste. Il faut qu'il se donne tant de mal, à
cause de mon désir de devenir une vedette. Il fait
des efforts inouïs — et partout on trouve des
femmes dont les visages font des efforts inouïs.

Mais c'est une bonne chose que je sois malheureuse parce que, quand on est heureux, on cesse
d'aller de l'avant. J'ai bien vu ça avec Lorchen
Grünlich, qui a épousé le comptable de chez
Grobwind Frères et qui est heureuse avec lui, avec
son manteau poivre et sel minable, son appartement de deux pièces, quelques boutures dans des
pots de fleurs, une brioche tous les dimanches et
un papier timbré officiel qui lui donne le droit
de coucher avec son comptable, et aussi une bague.

Mais il existe ailleurs des manteaux d'hermine,
des femmes avec des parfums de Paris, et des autos,
et des magasins remplis de chemises de nuit à plus
de cent marks, et des théâtres avec du velours — où
elles sont assises — on dirait que tout s'incline
devant elles et que des couronnes naissent dans
chacun de leurs souffles. Les vendeurs ont les
jambes qui flanchent quand ils les voient entrer,

pour finalement ne rien acheter. Et leur sourire suffit à rendre exact le mot étranger qu'elles ont par hasard prononcé de travers. Elles ont une telle façon de balancer les hanches, avec leurs poitrines garnies de crêpe georgette et leurs profonds décolletés, qu'il n'est pas nécessaire qu'elles sachent grand-chose. Les serviettes des garçons balaient le sol quand elles sortent d'un restaurant. Elles peuvent se permettre de laisser sur leur assiette la moitié des plus coûteux rumsteacks, même à la Meyer, avec garniture d'asperges, sans appréhension ni regret, sans ce désir secret d'emballer et d'emporter ce qui reste. Ces femmes-là donnent trente pfennigs à la dame des toilettes sans même regarder son visage, sans se demander si pour son attitude elle mérite de recevoir plus qu'il n'est nécessaire. Elles sont à elles-mêmes leur propre entourage, elles s'allument comme des ampoules électriques et personne ne peut arriver jusqu'à elles à travers leur rayonnement. Quand elles couchent avec un homme, elles respirent avec beaucoup de distinction, sur des oreillers couverts d'orchidées véritables, qui sont des fleurs hors de prix. Elles se font adorer par des ambassadeurs étrangers, offrent à baiser leurs pieds bichonnés et chaussés de pantoufles de cygne, et sont à moitié absentes sans que personne ait l'idée de le prendre mal. Des tas de chauffeurs en uniforme à boutons de cuivre rentrent des voitures

dans des garages — c'est un univers élégant — où
l'on part, couché dans un wagon-lit, se reposer
sur quelque riviera, où l'on parle français, où
l'on a des valises en peau de porc avec, collées
dessus, des étiquettes d'hôtels devant lesquels un
Adlon n'a plus qu'à s'incliner — et puis des
chambres avec des salles de bains — ce qu'on
appelle une suite.

Ah je voudrais tellement, tellement... C'est seulement quand on est malheureux qu'on va de l'avant,
alors je suis contente d'être malheureuse.

Chère maman, mes pensées t'envoient mille ten-
dresses, et à Thérèse aussi. Vous me manquez.
Pourtant Tilli est une brave fille. Seulement elle est
nouvelle, et pour moi le nouveau ne peut pas remplacer l'ancien — ni l'ancien le nouveau. Il y a en
moi comme un trou, un manque qui est celui de
votre présence, dans ma gorge je sens s'accumuler
les mots que je ne peux pas vous dire — ça me fait
éprouver pour vous un amour aussi douloureux que
si on me faisait passer à travers un hachoir à
viande. Chez vous, j'avais mes rues, des rues con-
nues avec des pierres qui disaient bonjour à mes
pieds quand ils leur marchaient dessus. Il y avait
un bec de gaz avec une vitre fêlée et, sur son poteau,
une inscription : August est un nigaud. C'est moi
qui ai griffonné ça un jour, il y a huit ans, en reve-
nant de l'école, et c'est toujours là. Quand je pense
à ce bec de gaz, c'est à vous que je pense. J'ai

changé de nom, je vis dans l'insécurité permanente, et je ne peux pas vous envoyer de lettre, à cause de la police — jusqu'à nouvel ordre. Mais je lance tout plein de pensées et d'amour vers vous.

J'en étais à la Lune Rouge. Et à l'eau-de-vie de Dantzig, qui a été suivie d'une visite de l'appartement, ce qui finit naturellement toujours dans la chambre à coucher. Il y avait là des lits jumeaux très conjugaux, dont l'un était recouvert d'une quantité de journaux étalés, à cause des mites, si bien qu'il n'y avait plus la moindre atmosphère. La Lune Rouge a allumé une suspension — j'ai vu sur la table de nuit cinq chemises de soie de Bemberg, oubliées par la dame de la station balnéaire et que la Lune Rouge devait lui envoyer. Je me suis empressée de dire qu'elles étaient brodées avec beaucoup de goût et que j'allais en emporter une pour me faire faire une chemise sur le même modèle. Bien — m'a dit la Lune Rouge, et il s'est rué sur moi comme un ouragan. Dans ces cas-là, la meilleure tactique pour s'en tirer est de brancher les hommes sur leur métier, parce que c'est exactement aussi important pour eux que le sexe. Je l'arrête donc dans son élan et je me fabrique un regard débordant d'intérêt pour lui demander : « Qu'est-ce que c'est donc que cette histoire de prairie à gros tirage? » Il saisit aussitôt la balle au bond et me propose de me faire la lecture. Je réponds par un oui jubilant, comme les enfants à qui on demande s'ils veulent aller au zoo, et je me blottis à un angle du lit, sur les journaux. La Lune Rouge s'installe sur l'autre lit avec sa *Prairie en mai* et se met à lire — ça n'en finit plus.

Au début, j'avais l'intention d'écouter — il était sans arrêt question de collines couvertes de vignes, d'une jeune fille qui descendait le sentier en dansant, ses nattes se défaisaient en chemin — et puis de nouveau des collines couvertes de vignes, de plus en plus de collines couvertes de vignes — ça commençait à me barber — la fille aux nattes donnait à manger à des poules, sans véritable nécessité, puisqu'elle vivait tout à fait confortablement — et la Lune Rouge faisait : « Petit, petit, petit », d'une voix aiguë. Ensuite, au lieu de s'arrêter, le voilà qui remet ça avec ses collines couvertes de vignes. Alors je me dis : Non, c'est vraiment trop me demander, écouter comme ça pour rien, pendant des heures, des histoires de collines couvertes de vignes — et je m'empare en cachette d'une seconde chemise que je fourre dans le devant de ma robe. Toutes les trois pages, il m'annonce de nouvelles finesses — et moi, toutes les cinq pages je prends une nouvelle chemise sur la table de nuit, jusqu'à épuisement du stock. Alors je me lève et je lui dis que c'est comme une heure passée dans une église, et que j'ai maintenant besoin de solitude pour repenser à ces collines couvertes de vignes. Et je m'éclipse. Avec une poitrine de nourrice à haut rendement.

J'ai donc été amenée à garder les insupportables enfants d'une très huppée famille Onyx, je me suis trouvée incognito chez la fille d'un ancien général — c'est la sœur de Tilli qui a arrangé ça — elle a autrefois gardé ces enfants Onyx. Ils habitent dans le quartier du Knie et les enfants sont aussi insolents que les parents. Le mari possède de l'onyx, des actions, et des cheveux blancs qui se tiennent droit sur sa tête et qui se croient beaux. Il est grand et on le remarque. Sa femme est jeune, cossarde, et elle ne sait rien de rien.

Quand une femme jeune et argentée épouse un homme âgé pour son fric et pour rien d'autre, qu'elle couche avec lui pendant des heures et qu'elle arbore un regard plein de piété, on la considère comme un modèle de femme allemande et de mère, c'est ce qu'on appelle une honnête femme. Quand une jeune femme sans argent couche avec un type sans argent parce qu'il a la peau lisse et qu'il lui plaît, ce n'est qu'une putain et une salope.

Chère maman, tu as eu un joli visage, tu as des yeux qui regardent comme bon leur semble, tu as été pauvre comme je suis pauvre, tu as couché avec des hommes parce que tu avais envie d'eux ou parce que tu avais besoin d'argent — moi aussi. Quand on m'insulte, c'est toi qu'on insulte... je les hais, tous, je les hais tous — fous ce monde en l'air, oh maman, fous ce monde en l'air!

Cet Onyx à cheveux blancs me donnait du « chère mademoiselle ». Il me faisait de l'œil et j'étais prête. Sa digne épouse était au théâtre, j'étais assise à côté de lui, alors il m'a offert un appartement et de l'argent — c'était pour moi une occasion qui s'offrait de devenir une vedette, et puis c'est facile avec un vieux, quand on est jeune — ils font comme si on y mettait du sien, comme si on se donnait de la peine. Et moi, je voulais, je voulais tellement. Il avait une voix comme une boule de jeu de quilles, qui me faisait froid — mais je voulais tellement — bien sûr, il avait les yeux tout encrassés de mensonges, mais je voulais, tu comprends — je me disais : Si je serre les dents et que je pense à tout le pouvoir que représente une hermine, ça ira. Alors j'ai dit oui.

C'est à ce moment-là qu'a surgi le Magnifique. Il a sonné, il est entré, c'était un visiteur, un ancien ami d'Onyx, plus très jeune — mais d'une beauté... magnifique. Nous nous sommes regardés. Nous avons bu du vin tous les trois. Et, tout d'un coup, j'ai su que j'étais vraiment riche, puisque je pouvais me permettre de faire des bêtises. Mais oui, j'ai été bête à ce point. J'ai abaissé les coins de ma bouche pour signifier le mépris que je portais à Onyx — dans mon cœur, il y avait plein de diamants, puisque j'étais riche au point de faire exactement ce qui me plaisait.

Je suis partie avec le Magnifique. Il était grand, élancé. Avec un visage sombre comme un conte de fées très impressionnant. Les rêves se bousculaient pour m'embrasser. Une chambre froide et sombre, illuminée par le Magnifique. Je l'ai embrassé, avec reconnaissance, parce que je n'avais pas besoin d'avoir honte de le voir nu. J'ai mis de la gratitude dans les caresses de mes mains, parce que je n'avais pas besoin de feindre l'émotion au creux de mon oreiller, tandis qu'il se déshabillait — ma peau était chaude de gratitude, parce qu'il n'y avait aucune laideur en lui que j'aurais dû me forcer à oublier, en pleine lumière, les yeux ouverts — oh, je n'étais que larmes de reconnaissance et de joie, tant il me plaisait.

C'est déjà beaucoup, c'est déjà énorme, quand quelqu'un vous plaît — l'amour, c'est quelque chose de tellement plus grand que ça ne doit même pas exister, ou alors à peine.

Mais toi, le Magnifique, pourquoi as-tu été si rusé et si bête? Pourquoi avoir dit à Onyx : « La petite était chez moi la nuit dernière »? Onyx m'a crié : « Vous êtes une garce, allez-vous-en, loin de mes chers enfants innocents! » Sa digne épouse a gémi d'une voix sirupeuse : « Hélas, dire qu'il existe des choses pareilles. » Je me suis contentée de lui répondre : « N'empêche que vos chers enfants innocents ne vous viennent pas du Saint-Esprit mais d'un vieil Onyx, et par un processus naturel. »

Et je m'en suis allée, toute seule, le cœur plein de diamants. Avec mes derniers sous, je me suis acheté une robe beige, couleur de miel, avec un flot de plis, à la fois douce et sévère, comme les femmes qui oublient de rire quand elles sont embrassées par un homme qui leur plaît.

Quand le mari de Tilli rentrera, il faudra que je m'en aille, et cette perspective me glace d'effroi. Ce n'est pas tellement l'idée de ne plus avoir de logement, mais celle de n'avoir plus personne. Berlin est une ville formidable, mais qui ne vous fait pas pénétrer dans son intimité, c'est un univers très fermé. Il faut bien dire que les gens ont ici des soucis gigantesques, ce qui fait qu'ils n'éprouvent aucune pitié pour des soucis moins importants, qui pour moi sont pourtant suffisamment graves.

J'ai dit à Ranowsky : « C'est vraiment dégueulasse, laissez-moi tranquille, savez-vous ce que vous êtes ? » Ce qu'il est, justement, j'ai honte de l'inscrire noir sur blanc, il habite au-dessus de chez nous — en fait, c'est un maquereau. Dans cette maison, chacun connaît tous les secrets de tout le monde, qu'il ferait mieux de ne pas savoir. Ranowsky était ouvrier dans une usine et juste au moment où il allait passer contremaître il se retrouve au chômage, alors dans sa fureur il lacère une courroie de transmission. Là-dessus il va en prison, et pour de bon. Il a quatre filles qui travaillent pour lui — bref, c'est la lie de la terre. Et puis ce n'est tout de même pas une raison pour les battre, au point que Tilli et moi, la nuit, on se demande si le plafond ne va pas s'écrouler et toute la petite compagnie nous tomber sur la tête. Il a des cheveux raides, qui se dressent droit sur son crâne, et je sais par expérience que ces types-là sont toujours des brutes. Il n'a que trente ans. Hier soir, il était assis, soûl, dans les escaliers, et je m'apprêtais à passer à côté de lui, en tremblant. Il attrape mon pied. Vierge Marie, c'est qu'il va me tuer! — « Laissez-moi, monsieur Ranowsky, je vous en prie! » Il se met à pleurnicher : « Je suis perdu, je n'ai personne — que mes poissons rouges. » Alors moi : « Vous devriez avoir honte, pourquoi battez-vous ces misérables filles qui vous donnent de l'argent?

— C'est à cause de ma force, répond-il, et puis je les hais de me donner de l'argent, ce sont de telles salopes. »

Je lui objecte qu'il faut bien qu'elles travaillent. Tout ça, c'était seulement histoire de parler, naturellement. Il crache sur mon escarpin gauche en peau de chamois et me dit que les femmes le dégoûtent. Mais qu'il possède quatre poissons rouges, le plus chouette s'appelle Lolo, ils font de ces yeux en attendant qu'il leur donne à manger, et puis ils sont tellement gentils, tellement corrects. Évidemment, je me dis, ils seraient bien en peine d'être autrement.

J'ai une de ces peurs à l'idée que je pourrais

devenir comme les femmes de Ranowsky. Berlin me fatigue. Nous n'avons plus du tout d'argent, Tilli et moi. Nous restons couchées à cause de la faim. Mais moi, j'ai des obligations envers Thérèse. Pour trouver du travail, je vais avoir des difficultés, parce que je n'ai pas de papiers et que je ne peux pas faire une déclaration de résidence à la police, puisque je suis en fuite. On est plutôt mal traité et on ne vaut pas cher aux yeux des autres quand on laisse voir qu'on est dans une sale passe. Une vedette, voilà ce que je veux devenir. Aujourd'hui, nous allons au « Rési » — je suis invitée par Franz, qui travaille dans un garage.

Car tel est l'amour des matelots... Rrrr, font les téléphones, un sur chaque table. On peut composer dessus de vrais numéros. Berlin est une si belle ville, je voudrais être berlinoise, me sentir vraiment d'ici. Ce n'est pas du tout une boîte, le Rési, qui se trouve là-bas derrière, dans la rue des Fleurs — ce ne sont que couleurs et lumières tournoyantes, c'est un ventre gorgé d'alcool et qu'on illumine, c'est colossalement artistique. Il n'y a qu'à Berlin qu'on puisse trouver ça. Qu'on s'imagine du rouge partout, un chatoiement général, de plus en plus intense, et un raffinement insensé. Il y a des grappes de raisins lumineuses et, sur des perches, de grosses soupières dont le couvercle est légèrement soulevé, séparé par un petit espace — et qui étincellent — et aussi des fontaines, dans le genre des fontaines à eau, mais qui émettent un rayonnement très délicat. Le public, en revanche, n'est pas de toute première classe. Il y a une poste pneumatique — on écrit des lettres, on les met dans un tube qui se trouve dans un trou du mur, et un courant d'air se produit qui les envoie à destination. J'étais comme grisée par cet incroyable décor.

Franz, le type du garage, a commandé pour moi une salade italienne et du vin. Chaque fois qu'il devait sortir, mon appareil se mettait à sonner, ça me fait un plaisir terrible qu'on m'appelle — quand je serai une vedette, j'aurai un téléphone bien à moi, qui sonnera, et je ferai : Allo — comme ça, en comprimant mon double menton et avec une indifférence inouïe, comme un directeur général.

Car tel est l'amour des matelots... Le plafond, copieusement décoré, pivotait sur lui-même, de gauche à droite, tandis que le sol sur lequel on dansait pivotait de droite à gauche — *oui, oui, mon capitaine, oui, oui, mon capitaine...* Te voilà soûle sans avoir bu!

Franz a des cheveux informes et un dos rond, à cause de sa mère, qu'il entretient, ainsi que trois petits frères. Il sort très rarement et, quand il le fait, il est obligé de boire, parce que sinon il n'a pas le courage d'être vraiment gai, et aussi pour oublier qu'il dépense de l'argent pour lui tout seul. Car il est très attaché a sa famille. Peu à peu je m'en suis rendu compte et le vin ne me disait plus rien.

J'aurais aimé me trouver avec quelqu'un qui peut dépenser pendant la nuit de l'argent qui ne lui manquera pas le matin suivant.

Il y avait tant de couleurs, au Rési — nous qui étions lourds et sombres, le Rési nous a rendus multicolores aussi. Je suis montée sur le carrousel de la prairie aux oiseaux et, par pneumatique, j'ai reçu une bouteille de cognac que nous avons ensuite apportée à la mère de Karl, accompagnée d'une lettre pleine de savoir-vivre. J'ai rendez-vous avec lui demain sur la place Wittenberg. Il est petit, gélatineux, avec des yeux comme de la peluche brûlée.

Ensuite, je suis allée avec Franz, parce que je ne voulais pas qu'il ait fait de pareilles dépenses pour rien. Au début, il était plutôt pressant, et après il semblait déçu, parce qu'il aurait préféré une fille qui ne s'abandonne pas aussi vite. Moi, je croyais bien faire.

Je me gèle, je vais aller me coucher. Ce Rési était si beau... — *Car tel est l'amour des matelots — Oui, oui, mon capitaine, oui, oui, mon capi* — bonne nuit à vous toutes, multitude de couleurs somptueuses.

Ma vie, c'est Berlin — Berlin, c'est moi. La ville dont je viens n'est qu'une ville moyenne, en Rhénanie, avec plein d'industries.

Mon père n'est pas réellement mon père, il m'a eue en prime quand il s'est marié. Ma mère avait déjà pas mal vécu, mais ça ne l'empêchait pas d'être sérieuse, car elle n'est pas bête. Au début, elle ne voulait pas de moi, elle a réclamé une pension alimentaire et tous les pères potentiels m'en ont voulu de ça. En fin de compte, elle a bel et bien perdu son procès. Il devait pourtant y avoir un père. Mes parents ne m'ont jamais battue, mais leur bonté s'est arrêtée là. Ensuite est venu le temps de l'école. Ma mère m'avait confectionné une assez belle robe avec du tissu de rideaux, à cause des voisins, pour les faire rager plutôt que pour me faire plaisir. Cette robe ne m'a causé que des tourments : la peur qu'il lui arrive quelque chose, et puis les garçons de ma classe qui me traitaient de singe. Les filles de l'école supérieure, qui était à côté de la nôtre, disaient : « Regardez-moi celle-là, avec sa drôle de robe! » Et elles se payaient ma tête. La robe se tenait toute raide autour de mes jambes, elle était vert foncé, avec des motifs tissés d'animaux tirant de grandes langues — tout le monde se moquait de moi. Et maintenant, le petit-gris et Berlin! A l'époque, je leur jetais des pierres et je m'étais juré que plus tard je ne serais plus jamais une fille dont on se moque, mais une de celles qui se moquent des autres.

Ensuite, je suis entrée en apprentissage. Et maintenant je marche au milieu des lumières. Une fois, j'ai été malade. Les parents se mettent toujours à aimer les enfants quand ils sont malades et qu'ils ont tant de fièvre qu'ils risquent de mourir. A ce moment-là, ils se sacrifient, mais quand on est rétabli ils oublient leur peur. Je ne trouvais pas de travail à cause de ma faiblesse, si bien que je suis tout de suite redevenue une charge. Et c'était comme ça pour tout.

Tout le monde devrait venir à Berlin. C'est si beau. Il y a une boutique en plein air où l'on peut acheter des crêpes de pommes de terre râpées. C'étaient les Ruhrbein, des parents à moi, qui mangeaient toujours des crêpes de pommes de terre râpées. Paul, mon cousin, était chômeur et il achevait d'user les costumes de son plus jeune frère, qui gagnait sa vie. Paul, lui, ne trouvait rien, et il restait assis dans un coin. Il appuyait ses bras sur la table de la cuisine et ma tante lui disait : « Je t'en prie, Paul, n'appuie pas tes bras, prends soin de ton costume, ce n'est pas toi qui l'as payé. »

Bien sûr, on le consolait toujours quand il était désespéré et qu'il pleurait, mais si par hasard il était de bonne humeur, on lui en voulait.

Je marche, je marche le long de la Friedrichstrasse, je marche, je regarde les autos rutilantes et les gens, et mon cœur, petit à petit, s'épanouit.

Un jour, nous étions nombreux à être assis chez les Ruhrbein. Paul est tout joyeux à cause de l'atmosphère, alors il dit : « Allons donc chercher une bouteille de vin, maman. »

Elle le regarde, et prend une voix sifflante, pleine

de méchanceté : « Quand tu gagneras à nouveau ta vie, tu pourras payer du vin à tes amis. »

Nous avons tous piqué un fard et un ange est passé dans la pièce. Paul est sorti. Le soir même il se tuait en se jetant à l'eau. Les Ruhrbein pleurèrent à chaudes larmes, ils étaient la douleur incarnée, ils disaient : « C'était le meilleur de nos enfants, comment a-t-il pu nous faire ça, nous qui étions toujours si bons pour lui? »

C'est toujours comme ça pour nous, qui sommes des enfants de gens pas très riches. J'aime ma mère, je la regrette, et pourtant je suis contente d'être partie pour Berlin, c'est une délivrance pour moi, et je vais devenir une vedette.

Je marche soir et matin — c'est une ville tellement pleine, tellement remplie de fleurs, de magasins, de lumières et de cafés, avec des portes et, derrière, des tentures feutrées — j'essaie de me représenter ce qu'il y a à l'intérieur, parfois j'entre, je jette un coup d'œil, je fais comme si je cherchais quelqu'un qui n'est pas là — et je ressors. Et quand c'est particulièrement intéressant, il m'arrive de rester. Ici, j'ai déjà eu l'occasion, un jour, de manger de la salade d'asperges.

Hier, un type m'a raccompagnée chez moi en voiture. Comme il n'était pas rasé, aujourd'hui j'ai le visage tout irrité, je suis rouge comme une tomate ou comme après un coup de soleil. On n'est jamais assez prudente avec les hommes. Mais j'ai une impression de printemps — Berlin, pour moi, c'est comme Pâques qui tomberait à la Noël, quand tout scintille et qu'il y a de l'animation partout. Je regarde les hommes et je me dis que dans le nombre il doit bien y en avoir un pour moi, qui m'insufflera tout le Berlin qu'il a en lui. Il a des cheveux noirs et un cache-nez de soie blanche, très chic.

J'aime Berlin, avec une espèce d'angoisse qui me coupe les jambes, je ne sais pas ce que je mangerai demain, mais je m'en fiche — je suis assise chez Josty, place de Potsdam, il y a des colonnes de marbre et énormément d'espace. Tous les gens lisent des journaux allemands et même étrangers, qui sont imprimés d'une façon qui se remarque. Ils restent assis là, très tranquillement, comme si tout leur appartenait, simplement parce qu'ils peuvent payer. Aujourd'hui, moi aussi, je peux.

Je me promène toujours sur les places de Leipzig et de Potsdam. Il y a de la musique qui filtre des cinémas, des disques par lesquels se transmet la voix des hommes. Tout chante.

En dessous de chez nous, dans la maison, habite un Monsieur Brenner, qui ne peut plus voir les magasins, ni le quadrillage de lumières dans les rues, ni les enseignes modernes, ni rien. Il a perdu ses yeux à la guerre. Sa femme est très âgée et méchante. Il faut que tout lui appartienne, parce que c'est elle qui gagne tout l'argent, elle repasse à longueur de journée et elle coud aussi du linge — mais qui peut bien porter des trucs aussi godiches? Elle gagne sa vie et celle de son mari, lui ne gagne rien du tout et ne touche même pas de pension parce qu'il est alsacien, bien qu'il ait fait la guerre en tant qu'Allemand. Il a quarante ans et il passe son temps assis dans la cuisine, morose, les yeux fixés sur le mur, qu'il ne voit pas. Il a une bouche magnifique. Je vais parfois lui rendre visite, quand la Brenner est sortie, parce qu'elle ne veut pas de moi chez elle. Elle ne supporte pas que la crasse de son plancher aille se coller sur des semelles étrangères. Elle ne veut personne dans ce qu'elle considère comme sa demeure, c'est-à-dire son mari et sa cuisine.

Je comprends très bien que certains hommes soient infidèles car lorsque des femmes possèdent entièrement quelque chose, elles ont parfois une façon de manifester leur bonté qui est parfaitement ignoble. Une femme comme ça ne laisse même pas à un homme suffisamment d'air pour respirer. Brenner est certainement un être très fin, il a des tas de pensées et il me les communique. Toutes ses pensées sont dans la cuisine et quand sa femme y est, elle remplit la pièce de sa voix, elle pleure à cause de lui et de tout ce travail qu'elle doit faire. Si bien qu'il n'y a plus du tout de place, dans la cuisine, pour ses pensées à lui.

Il m'a dit : « Quand elle pleure, je l'imagine avec

de grandes dents jaunes. Est-ce qu'elle a de grandes
dents jaunes? »

J'ai répondu : « Non, elle a des dents petites et
blanches. » Mais ce n'est pas vrai. C'est affreux
de penser comme ça toujours à de grandes dents
jaunes.

J'accumule des images pour lui. Je regarde toutes
les rues, les cafés, les gens et les becs de gaz.
Je retiens bien tout ce que j'ai vu et je le lui rap-
porte.

Voilà justement que s'approche de moi le type
même de l'employé de bureau, avec un mouchoir
à liseré vert et un lorgnon.

Brenner, avec ses mains blêmes, me demande :
« A quoi ressemblez-vous donc? »

Je suis assise devant lui sur la table de la cuisine
et, bien que je l'aie essuyée avec un bout de tor-
chon, j'ai sûrement de nouveau une tache de graisse
sur le derrière. Mais c'est une vieille robe. J'ai posé
mes pieds sur ses genoux, il est assis en face de
moi et il caresse mes tibias gainés de soie. Il a si
peu de plaisir par ailleurs.

L'air doré bourdonne. Et lui qui me demande à
quoi je ressemble. Ça m'a fait tout drôle, j'ai voulu
essayer de me voir de l'extérieur, mais pas à la
manière dont un homme pourrait me décrire à
moi-même, car ce ne serait jamais qu'à moitié
exact.

Je songe : Doris est maintenant un monsieur

important et très sage qui regarde Doris et lui dit, sur le ton médicinal d'un médecin : Eh bien, ma chère enfant, vous avez une très jolie silhouette, un peu frêle peut-être, mais c'est à la mode, et vous avez des yeux d'un brun sombre, comme les très vieux pompons de soie de la boîte à couture de ma mère. Le jour, je suis en fait un peu comme les anémiques, pâle avec des veines bleues sur le front, mais le soir j'ai les joues rouges, et à d'autres moments aussi, quand je m'excite. Mes cheveux sont noirs comme buffle... enfin pas tout à fait. Mais quand même. Et frisés par une permanente, qui commence d'ailleurs à se défaire un peu. Ma bouche est très pâle de nature, et petite. Avec un maquillage sensuel. Mais j'ai de très longs cils. Et une peau très lisse, sans taches de rousseur, ni rides, ni poussière. Quant au reste, c'est sûrement très joli aussi.

Mais par pudeur je n'ai pas osé parler de mon ventre blanc de toute première classe — d'ailleurs je crois que n'importe quelle fille nue et seule devant son miroir se trouve jolie. Et quand un beau jour on est nue face à un homme, il n'a déjà plus tout son bon sens et il trouve tout joli, si bien qu'on n'arrive jamais à avoir sur son propre corps un jugement objectif.

« On ne t'entend pas du tout quand tu marches, dit Brenner. Comment marches-tu donc? Est-ce que tu ondules des hanches?

— Oh non, ai-je répondu, je ne peux pas souffrir les filles qui tortillent leur postérieur en marchant comme un tire-bouchon, mais parfois mes pieds s'envolent et j'ai dans les genoux une sensation merveilleusement excitante. »

Et, de nouveau, impossible d'en dire plus, je trouvais le mot « cuisse » terriblement inconvenant. Mais quel nom peut-on bien donner à ce qui se trouve au-dessus des genoux?

Il y avait un cafard qui rampait lentement dans un coin, tout était si gris, si vulgaire, que j'ai senti le dégoût m'envahir. Il n'a pas osé m'embrasser. Ça m'a donné de l'amour et du courage. Autrefois, je croyais toujours qu'on ne pouvait aider quelqu'un qu'avec de l'argent. En fait, on ne peut pas aider les gens, mais on peut leur donner de la joie — et ça, ça ne regarde personne, ni mon cahier à colombes, ni moi, ni personne.

Brenner a enfilé pour moi un collier de perles de bois. Elles sont rouges, splendides, et il y en a aussi de vertes, assemblées avec un de ces goûts. Et pourtant il est aveugle. Je ne suis pas une idiote et j'ai mon amour-propre, mais j'ai pleuré de joie, car c'est plutôt rare qu'un type vous fasse encore un cadeau après.

Tilli dit que les hommes sont sensuels, que c'est la seule chose qui les intéresse. Mais moi je réponds :

Les femmes aussi, Tilli, sont parfois sensuelles, parfois c'est la seule chose qui les intéresse. C'est exactement pareil. Car il m'arrive de désirer un homme au point de me réveiller le lendemain matin rompue de fatigue, éreintée de baisers, à moitié morte, sans plus de force pour penser, seulement fatiguée, d'une merveilleuse fatigue, et reposée en même temps. En dehors de ça, je n'ai rien à faire de cet homme. Et ce n'est pas dégoûtant car on a tous les deux les mêmes sentiments, chacun attend la même chose de l'autre.

Voilà donc que je vis à Berlin, d'abord pour moi et ensuite pour Brenner. Je suis assise dans la cuisine, derrière le rideau il y a le lit. Moi, c'est devant le fourneau, et non devant le lit que j'accrocherais ce rideau qui est jaune et plein de taches qui sentent la pauvreté.

Il est là, toujours avec sa même bouche étroite, ses traits accusés, ses cheveux d'enfant tombé qui lui barrent le front et sa veste de chasseur. Et moi, devant lui, assise sur la table. Quelquefois, j'aime ses mains autour de mes pieds.

A quelle autre occasion un homme a-t-il déjà eu avec moi des mains qui sachent exactement à quel moment je n'ai plus envie qu'elles bougent? En fait, il y a deux catégories d'hommes : ceux qui ont des milliers de mains, si bien que, mon Dieu, on ne sait vraiment pas par laquelle commencer quand on veut qu'elles s'arrêtent. Et ceux qui n'en ont que deux, dont on se débarrasse très facilement, simplement en cessant de vouloir, sans même avoir besoin de les arrêter.

Il saisit mes pieds avec des doigts qui sont comme des bougies de Noël en cire — à la maison, nous gardions trois années de suite les mêmes bougies pour le sapin, car on ne les allumait que le temps de chanter *Douce nuit, sainte nuit.*

Tout est tellement silencieux, et puis ce brouillard humide et ce mur gris derrière la fenêtre, tout ça nous tombe dessus. Je suis assise, je me poudre à cause de ses mains. Je maquille ma bouche. Lui, bien sûr, il ne peut pas voir quand je suis jolie. Je lui apporte Berlin, que je tiens contre mes cuisses.

Il me demande : « Dis-moi, chère petite voix pour chansons populaires, où étais-tu aujourd'hui?

— J'étais sur le Kurfürstendamm.

— Qu'est-ce que tu as vu? »

Il faut, évidemment, que j'aie vu des tas de couleurs.

« J'ai vu — des hommes aux coins des rues qui vendaient du parfum, sans manteau, avec des visages racoleurs et des casquettes grises — des affiches avec des filles nues et roses — que personne ne regardait — un café avec tout plein de métal, comme une salle d'opération, où on vend aussi des huîtres — et des photographes connus avec des boîtes pleines de portraits de gens importants, pas beaux du tout. Ou parfois beaux. »

Un cafard rampe — est-ce que c'est toujours le même? — ça sent mauvais dans la pièce — allons-nous fumer une cigarette?

« Qu'est-ce que tu as vu?

— J'ai vu — un homme avec un panneau autour du cou : *J'accepte n'importe quel travail — n'importe* souligné trois fois en rouge — il avait une bouche mauvaise, dont les coins s'abaissaient de plus en plus — une femme lui a donné dix pfennigs, des pièces jaunes, il les a envoyées rouler sur le pavé éclairé par les enseignes des cinémas et des cafés. Le panneau était blanc, avec du noir dessus. Et puis des tas de journaux de toutes les couleurs, le *Tempo* bleu lilas, l'édition du soir avec une barre rouge et une raie jaune en travers — je vois le Kempinsky, avec ses boiseries de bonne qualité, des taxis devant avec des carreaux blancs et des chauffeurs qui ont la tête baissée parce qu'ils sont toujours en train d'attendre. A l'intérieur, des miroirs et un petit air de club. Des gens pressés. Des terrasses de café, tout hivernales, et de la musique derrière les vitres. Et puis de temps en temps des bars — une grande lumière, très haut, au-dessus du globe terrestre du champagne Kupferberg — un type avec des allumettes, par terre, il a des jambes noires en travers du pavé, et les boîtes d'allumettes sont bleues avec du blanc et un petit rebord rouge.

— Qu'est-ce que tu vois d'autre, qu'est-ce que tu vois encore?

— Je vois — des spirales de lumière, ce sont des ampoules très proches les unes des autres — les femmes ont des voilettes et les cheveux intentionnellement ramenés sur le visage. C'est la coiffure à la mode — la coiffure « coup de vent » — les coins de leurs lèvres sont comme ceux des actrices qui ont un grand rôle en vue, elles portent des fourrures noires et dessous des robes très floues — leurs yeux brillent — c'est comme un théâtre noir ou un cinéma blond. Car les cinémas sont essentiellement blonds — je galope, moi aussi, avec mon petit-gris, qui est gris et moelleux — mes pieds vont à toute allure, ma peau devient rose, l'air est froid, brûlantes sont les lumières — je vois, je vois — mes yeux guettent quelque chose d'extraordinaire — j'ai faim de merveilleux et aussi d'un rumsteack brun avec du raifort blanc et des pommes-paille, qui sont des pommes de terre sautées étirées en longueur — quelquefois, il y a des choses que j'aime tellement manger que j'ai envie de les prendre dans mes mains et de mordre dedans au lieu de me servir toujours d'un couteau et d'une fourchette.

— Qu'est-ce que tu vois d'autre, qu'est-ce que tu vois encore?

— Je vois — moi, dans le miroir des vitrines, je me trouve jolie, alors je regarde les hommes, et ils

me regardent aussi — des manteaux noirs, bleu
foncé, et beaucoup de mépris sur les visages —
c'est tellement significatif — je vois — là, c'est
l'église commémorative, avec des tours aussi grises
que des écailles d'huîtres — je sais manger les
huîtres avec beaucoup de distinction — le ciel,
dans la brume, a la couleur de l'or rose — quelque
chose m'attire vers cette église — on ne peut pas
approcher à cause des autos — un tapis rouge gît
là, au milieu du trafic, parce qu'un stupide mariage
a eu lieu dans l'après-midi — le palais Gloria étin-
celle — un château, un vrai château — mais c'est
un cinéma, un café, tout l'Ouest berlinois — l'église
est entourée de chaînes de fer noires — et, de l'autre
côté, le Café Romain, avec des hommes à cheveux
longs! A une époque, je fréquentais là, soir après
soir, des élites intellectuelles, c'est-à-dire des gens
sélectionnés, comme le sait, grâce aux mots croi-
sés, toute personne qui a un tant soit peu de culture.
A nous tous, nous formions un cercle. Le Café
Romain ne jouit pas d'une très bonne réputation.
Chacun est là à dire : " Mon Dieu, ce café où
viennent s'asseoir tous ces littérateurs déchus, il
ne faudrait plus y aller " — n'empêche que tout le
monde y retourne. Je m'y suis énormément cultivée, c'était comme si j'apprenais une langue étrangère.

Parmi les élites, aucun n'a beaucoup d'argent,
mais ils vivent et, au lieu de jouer à être riches,

quelques-uns jouent aux échecs — c'est un plateau quadrillé avec des cases noires et des cases jaunes. Il y a aussi des rois. Et des dames. Ça dure long-temps, ce qui est justement le charme de la chose, mais pas de l'avis des garçons, car une tasse de café ne représente que cinq pfennigs de pourboire, et c'est bien peu pour un client qui joue aux échecs pendant sept heures. Mais c'est l'activité la moins coûteuse pour les élites — comme ils ne travaillent pas, il faut bien qu'ils s'occupent. De plus, ces élites sont littéraires, et les littéraires sont terrible-ment assidus quand il s'agit de café, d'échecs, de discours et autres choses de l'esprit, parce qu'ils ne veulent pas se laisser voir à eux-mêmes qu'ils sont paresseux. On trouve aussi là des gens de théâtre, des filles bariolées qui sont incroyable-ment sûres d'elles et quelques hommes d'un cer-tain âge, à la démarche chancelante, qui ont des rapports avec les mathématiques. La plupart ont une envie féroce d'être édités. Et tout le monde peste contre tout.

Il fallait que j'aille un peu plus loin. Je me suis constitué une liste de mots étrangers, à côté j'ai écrit ce qu'ils signifiaient, parfois il a fallu que je trouve moi-même la définition. Les mots font toujours bon effet quand on les utilise.

Nous étions donc assis là entre nous, rien que des artistes — des gros ventres traversaient de temps en temps la salle, ils se contentaient de regarder, ils n'étaient pas des nôtres, nous les méprisions. Moi, je rejetais la tête loin en arrière pendant que les autres parlaient, je regardais dans le vague, je n'écoutais pas. Et tout à coup, voilà que je serre les lèvres, puis j'entrouvre la bouche, je rejette la fumée de ma cigarette par le nez et, sur un ton indifférent et glacial, je lâche un unique mot étranger. Parce que tout mot étranger lancé au milieu d'une conversation est un symbole, et que le propre d'un symbole c'est d'être adapté à toutes les circonstances. Et quand on le pratique avec assurance, chacun se sent honteux de ne pas comprendre. Avec un symbole, on ne court pas de gros risque. Mais à la fin, j'en ai eu par-dessus la tête de ces gens-là.

— Et puis quoi encore, quoi encore?

— Un feu, qui passe du vert au rouge, à l'orange — des yeux gigantesques, les autos s'arrêtent devant — je descends la rue Tauentzien — des boutiques avec des corsets roses vendent aussi des pull-overs verts — pourquoi? Des cravates, un peignoir de bain rayé, celui d'un homme à sa fenêtre — je marche — il y a aussi des chaussures marron et un restaurant automatique avec une musique de radio genre Walkyries et des petits pains disposés en étoile — et des friandises qu'on a honte de ne pas connaître — tout ça dans la grande cuisine de la ville. Quand on passe devant chez Zuntz, ça sent le café — les grains petits et

123

bruns remplissent de grosses corbeilles méridio-
nales en forme de coupes — tout est merveilleux
— et les rues sont larges, avec des rails et des trams
jaunes. Il y a des gens devant le magasin KaDéWé,
qui est si grand, plein de vêtements et d'or avec,
devant la porte, des quantités de petits chiens en
laisse, très élégants, qui attendent des dames en
train de faire leurs achats à l'intérieur — c'est un
énorme cube — et puis il y a aussi le petit Temple
de Wittenberg — en bas, dans son ventre, roule le
métro — on voit briller un U gigantesque.

Un homme blond à lorgnon m'invite. Il a des
dents de souris et une petite bouche répugnante,
luisante de salive, qui donne à ce Monsieur-
Pince-Nez un air d'être nu. Nous buvons du vin
dans un café bien bourgeois. Il est assureur et parle
constamment, d'une voix haute et bête, sans se
laisser interrompre, de sa mère à qui il a offert un
tapis — il s'est fait rouler à propos d'un briquet,
on ne veut pas le lui réparer gratuitement, et trois
marks quatre-vingts, ce n'est pas rien — il ne jette
pas son argent par les fenêtres mais, le soir, il faut
qu'il ait ses trois bières avec les copains, ensuite
il rentre chez sa mère — c'est régulier, garanti,
après le troisième bock — il y en a d'autres qui font
autrement mais lui n'est pas de ceux-là — il ne peut
pas supporter de se faire estamper, pour un peu il
se mettrait vraiment en colère — et cette histoire de
briquet — il faut que je lui rende visite, il connaît

des endroits où l'on mange pour pas cher, on vous donne un supplément de pommes de terre et des légumes en quantité — il a fait des études et quand on a fait des études un supplément de pommes de terre ça a son importance — il approche son pied du mien en tremblotant — il n'arrive pas à laisser tomber cette histoire de briquet — il ne veut rien donner à ce type complètement fichu avec un emplâtre rose, parce que où est-ce qu'on irait s'il fallait donner quelque chose à chacun. C'était aussi ce que je croyais. Il faudrait pour commencer qu'il connaisse des pauvres — il a justement eu une mauvaise expérience, un jour à huit heures du matin il a donné son petit pain à un mendiant parce qu'il s'était gâté l'estomac avec de la viande faisandée et s'était d'ailleurs plaint au restaurateur — il y avait dessus une épaisse couche de beurre véritable — et quand il est descendu, il a trouvé les deux moitiés du petit pain collées contre la porte d'entrée — depuis il a changé, il est contre les Juifs — il me montre cette saleté de briquet — il n'attend pas grand-chose non plus de Gandhi, un homme digne de ce nom ne boirait pas toujours du lait de chèvre — c'est une vraie décadence — ni d'ailleurs plus de trois verres de bière, à la rigueur un de vin de Moselle — mais jamais de schnaps, parce qu'il a eu une fois un ami qui est devenu huissier à cause de ça, il faisait des études pour devenir assesseur et puis là-dessus le schnaps et, terminé, plus d'examen — et puis de nouveau cette histoire de briquet — alors j'en ai eu marre de l'assureur rasé. »

Nous nous mettons à rire, Brenner et moi.

« Qu'est-ce que tu as vu, qu'est-ce que tu as vu? »

Je déballe tout ce qu'ont emmagasiné mes yeux — qu'est-ce que j'ai donc vu encore?

« J'ai continué la rue Ansbacher — dans une boutique j'ai vu scintiller des pierres, ça s'appelle des améthystes, un mot qui fait tout de suite penser à la couleur lilas, non?

— Et puis quoi, quoi encore? » — cette puanteur dans la cuisine, quand la vieille va-t-elle revenir?

« Ça sent comme ça, Berlin? m'a-t-il demandé, comme je lui mettais sous le nez ma houpette à poudre. Quoi encore, quoi encore?

— Dans la rue de Nüremberg, il y a un café avec des rideaux relevés, réservé aux Russes — le papier peint, on dirait des cerises bleues de gel parmi des fleurs gorgées de soleil — ça fait très gai — et puis un tableau représentant un Moscou ancien et très russe et une minuscule Vierge Marie dans un coin. Des petites lampes, un peu blanches et un peu rouges — les gens très grands heurtent le plafond de leur tête. Je suis toute seule et j'apprends la carte par cœur, à cause des mots étrangers russes, au son de la musique. Je bois quelque chose de jaune, ça s'appelle du Narsan — il y a des schachly

126

du Caucase et des watruschki, ou un nom de ce genre, avec du fromage. Les serveuses portent des petits tabliers blancs, elles sont jolies comme des poupées bouclées avec les yeux qui bougent, elles parlent russe — et elles savent très bien montrer à tout le monde, avec leur visage distingué, qu'elles sont des femmes de généraux. Les hommes ont comme des petites brosses à dents noires au-dessus des lèvres — l'orchestre chante — cette langue, c'est comme de la mayonnaise onctueuse, fluide — quelle douceur, mon Dieu. Le plafond est gris-vert — je vois, je vois — les générales serveuses, qui sont si jolies — la musique, ce sont des crânes chauves et des violons — une femme avec un corsage jaune rit en russe — des hommes sont joyeux sans femmes et ivres sans désirs, ils se caressent mutuellement les épaules, remplis d'un amour général et soûlographique — dans le fond, un miroir de travers — on s'y voit un peu pâle, mais jolie — ils ont des yeux profonds et bruns comme les violons — ce sont des choses qui trompent — un bel homme assorti d'une grosse femme genre têtard — des messieurs âgés s'embrassent — zick-zack fait la musique — des lampes desséchées collent au plafond comme les étoiles de mer que collectionnait Paul — la musique est fleurie comme une robe de chiffon, qui se déchire toujours très vite — d'ailleurs, voyez-vous, monsieur Brenner, on ne devrait jamais porter de la soie artificielle avec un homme, ça se chiffonne si vite, et de quoi est-ce qu'on a l'air après sept vrais baisers reçus et rendus? Rien que de la soie naturelle — et de la musique.

— Quoi encore, quoi encore? »

De la soie naturelle — autrefois Hubert m'embrassait passionnément sur les yeux, ou plutôt sur les paupières — si bien que j'avais sur chacune une petite tache rouge — à la maison j'avais très peur — pendant tout le déjeuner du dimanche, je ne pouvais pas baisser les paupières — je gardais les yeux fixes jusqu'à ce que les larmes me viennent — « Qu'est-ce que tu zieutes donc, avec ce regard de folle? » me demandait mon père — et moi, je gardais les yeux fixes — maintenant aussi, j'ai toujours les yeux grands ouverts, il y a tant de choses à voir.

« Des costumes gris clair donnent à des hommes noirs des allures de démons, des cravates rouges leur font un drôle d'air — mes yeux n'en peuvent plus de voir — ô vous, vous, vous...

— Quoi encore, quoi encore?

— Les femmes sont belles à Berlin, soignées et couvertes de dettes. »

Je danse, oui, je danse — l'air m'étouffe — un Russe est avec moi — c'est un émigré — sa façon de parler — les mots trébuchent en sortant de sa bouche, rugueux et doux, comme un vélo Mercedes qui roulerait sur des pavés inégaux — il n'a plus de cheveux, ses yeux sont jeunes et durs. Sa taille élancée. La femme au visage blanc et à la bouche couleur de fraise qui se trouve en face a une façon de ramener son skunks au-dessus de son épaule gauche — sa main gauche dit clairement à mon Russe : « Toi, tu ne m'intéresses pas, espèce de singe, et pourtant je voudrais bien — tu me plais! » — avec une sorte de mépris distingué. Moi, je pense : Vieille sorcière! — « Intéressante, cette femme, dit le Russe. — Mais des jambes torses, malheureusement, dis-je froidement. — A quoi voyez-vous ça? — A cette façon peureuse qu'elle a de se cramponner à son verre, elle veut aller aux toilettes et elle n'ose pas. » Oui, quand une femme veut me faire du tort, je suis fort capable de lui casser du sucre sur le dos, comme ça, tout simplement, sans presque m'en rendre compte — dans ces cas-là je deviens très futée. Nous nous embrassons en dansant — dans un bar — même les cocktails sont multicolores — comme des papillons citrons un peu décolorés — ça donne mal à la tête. »

L'armoire en bois craque et Brenner pose sa tête sur mes tibias : « Je te connais déjà, je n'ai pas besoin de te voir. »

Je médite ses paroles, pourtant je n'ai pas le temps de méditer sur des mots — j'ai beaucoup d'amour et je peux en donner, mais il faut qu'on me laisse le temps d'en avoir envie. Tilli pleure à cause d'une infidélité de son mari — pour lui, c'est sûr, elle aurait aussi bien pu être une autre. Moi,

je me contente de dire : Je t'assure, Tilli, que si tu
y réfléchis bien, pour toi aussi, somme toute, ça
aurait pu être un autre homme, c'est exactement
pareil — « L'amour, c'est de se trouver soûls
ensemble, par hasard, et d'avoir envie l'un de
l'autre, tout le reste c'est de la blague.

— L'amour, c'est davantage, dit Brenner.

— L'amour, c'est multiple, c'est toujours différent, dis-je.

— L'amour, ce n'est pas un commerce, dit-il.

— Les jolies filles, c'est un commerce, dis-je,
qu'est-ce que ça a à voir avec l'amour? » — je sais,
oui, je sais — l'amour — oui — mais je ne veux rien
savoir, je ne veux pas savoir.

« Je me sens plein de nostalgie », dit Brenner
— comment se fait-il que ses yeux soient encore un
peu plus morts? Je vais l'embrasser.

Je t'aime, brune madone — Sainte Marie, mère
de Dieu, priez pour nous — les yeux morts me
disent : « Doris, voilà où nous en sommes, après-
demain j'entre à l'asile. » Sa femme ne s'en sort
plus, c'est elle qui a voulu ça et maintenant elle le
regrette parce que c'est la fin de son empire, si elle
cesse d'avoir des sujets. Seul, un empereur n'en est
plus un.

Nous sommes tous les trois dans la cuisine. Lui
sur la chaise, prostré, elle près du fourneau, et moi
devant le lit — nous sommes plantés là. « Madame

Brenner, votre mari — il aimerait bien un soir — marcher dans les rues — je vais le guider — puisqu'il entre à l'asile — là-bas il ne verra plus rien. » Il reste muet. C'est lui qui m'a suppliée. J'ai contre ma poitrine un bouquet de violettes — le cadeau d'un type, hier — son haleine toute bleue dans la cuisine. La femme est debout — maigre et longue, avec ses grandes incisives : « J'irai avec lui. »

Au son de sa voix, mes violettes sont tuées sur le coup. « Il ira avec moi, je suis sa femme.

— C'est moi qui irai avec lui, je peux lui montrer tant de choses. »

Il se tait. La lutte se passe au-dessus de sa tête. Les hommes sont tous des lâches. La femme hurle : « Après tout ce que j'ai fait pour lui! »

A quoi ça sert? Il ne nous voit pas — mais elle a une odeur de vieille et moi j'ai une odeur de jeune. Je ne l'aime pas mais je me bats pour notre soirée parce qu'il le veut, mes genoux le sentent. C'est peut-être ça le plus grand cadeau qu'un homme puisse faire à une femme : lui permettre d'être bonne pour lui. Et rien d'autre. Je le remercie de me permettre d'être bonne pour lui, car en général ils n'aiment que les femmes méchantes. C'est beaucoup plus fatigant, d'être méchante. Cette voix qui sent la cuisine tue mes violettes, elles meurent à l'intérieur de ma peau. Alors moi, je me bats pour ses désirs à lui, parce qu'il est fatigué. Mon enfant. Les mots, autour de moi, papillonnent : « Chère madame, ce qui t'appartient vous appartient — s'il vous plaît, une soirée — un peu de liberté — ensuite il reviendra — je vous en prie. » Quelle bêtise, de la prier! Une femme comme ça ne sait que vous cracher à la figure, à travers ses dents jaunes, chaque pfennig qu'elle a gagné. Moi, je veux — mon enfant — n'ayez pas peur — j'ai encore de l'argent, nous pouvons aller partout.

« Eh bien, à toi de choisir », crient les dents jaunes. Pauvres hommes, toujours choisir — Hindenburg — les femmes — les communistes — les femmes. « Écoutez-moi, madame, rien qu'une soirée, rien que trois heures — il restera encore assez d'heures pour vous — tellement d'heures. » Ses mains pendent devant moi avec leur peau rouillée. « Bon », dit-elle.

Maintenant viens — allons — à travers Berlin — nous prenons un taxi — le bonheur donne à sa peau une odeur de bouleaux noirs et blancs; ils n'ont pas d'odeur, on les voit seulement, et lui ne peut pas voir — c'est pour ça qu'il a cette odeur-là.

« C'est pénible, de traîner derrière soi quelque chose de mort », dit-il. Une fois, mon oncle a repêché un cadavre de noyé dans le fleuve, c'était la nuit, il a dit : C'est lourd, les cadavres. Est-ce que tout ce qui est lourd est cadavre? Descendons de taxi et continuons à pied — cherchons de la musique — il était jeune et s'était noyé en canoë, il portait un sweater blanc. Il avait une petite amie.

Il y avait une de ces lunes — c'était le soleil qui la prêtait — continuons.

Nous buvons de la vodka dans un café russe, il y a ici un schnaps qui a un goût de prairie — « Et puis tu sais, les tapisseries, c'est rien que des fleurs, qui se tordent de rire » — ah, je t'aime, parce que je suis bonne pour toi.

Nous continuons — un vent glacé, des voix et des rues — « Est-ce que ça a une odeur, la nuit qui tombe? » Quelque chose en moi se dilue dans une sorte de sérénité — je tiens sa main — il a confiance quand je le guide — il ne faut pas que je devienne comme ça, sinon comment continuer? Allons manger quelque chose.

Nous entrons dans un café sur la place de Wittenberg, nous nous asseyons près de la fenêtre. Il faut qu'il me parle, sinon je n'arrive pas à savoir s'il est content, car ses yeux sont muets de naissance et sa bouche amère, seule sa parole conserve un peu de lumière. Dans l'entrebâillement des rideaux vert sapin, on voit scintiller la lumière trop rouge d'une réclame — très loin.

« Toi aussi, tu es content? » Bien sûr, la bière est bonne pour la soif — « Est-ce qu'elle a un goût blond? »

Continuons — j'ai peur que ça ne lui fasse pas vraiment plaisir, mais je sens une telle confiance dans son bras. Je suis son salut quand il va falloir traverser — traverser les rues.

Il aspire de l'air et me demande : « Est-ce qu'il y a des étoiles? »

Je regarde.

« Oui, il y a des étoiles », je lui mens, c'est un cadeau — il n'y a pas la moindre étoile — pourtant elles sont sûrement là, derrière le ciel, elles doivent briller vers l'intérieur, on les a tournées à l'envers. J'aime beaucoup les étoiles mais je n'y prête presque jamais attention. C'est seulement quand on devient aveugle qu'on doit se rendre compte de la quantité terrible de choses qu'on a oublié de voir.

Ensuite, un café — *C'est à toi seul que je donne mon cœur* — ce violoniste, comme il chante! Nous mangeons quelque chose de doux, qui a un goût tout rose — sois donc heureux — je me force trop à vouloir, c'est ce qui me rend soûle.

« Doris — une forêt », dit-il.

Une forêt! — mais nous sommes en plein Berlin. En ce moment je ne regarde personne — je vis pour toi, en ce moment — ce garçon, là-bas — je vis pour toi, c'est comme dans ces cours d'instruction religieuse que je séchais toujours pour aller danser — en quoi est-ce que le Bon Dieu peut bien vous concerner quand on en est encore à se demander comment se fabriquent les enfants — d'ailleurs on apprend tout ça bien assez tôt.

Si seulement il parlait! — nous allons continuer — par moments apparaît un petit bout d'étoile —

mais ce n'est rien à côté des réclames — autour de
nous, un tintamarre continu, je ferme un instant
les yeux à l'arrêt de l'omnibus — comme tout ça
pénètre en vous — tant de bruit — il est de plus en
plus silencieux — allons au Vaterland, là au moins
on est bien obligé de se réveiller. Et nous voilà dans
l'omnibus, qui bondit avec nous sur les pavés, tout
gros et lourd qu'il est — hop, une secousse — il
y a tellement de monde, tous les gens mêlent leurs
haleines — une moiteur monte des sièges capi-
tonnés. Berlin, je suis en train de lui montrer
Berlin.

Au Vaterland, il y a des escaliers d'un chic fou,
comme dans un château où des comtesses vont et
viennent — et puis des paysages, des pays étrangers
et même turcs, Vienne, des tonnelles de vigne et
un spectacle grandiose : le Rhin, avec des scènes
de la nature car elles font un effet bœuf. Nous
sommes assis, il fait très chaud, le plafond nous
tombe dessus — le vin nous rend lourds — « Est-ce
que ce n'est pas beau, pas merveilleux, ici ? » Si,
c'est beau, c'est merveilleux, quelle autre ville possède encore ce genre de chose, des salles et des
salles, en enfilade, qui composent une suite digne
d'un palais ? Les gens sont tous si pressés — parfois l'éclairage les fait paraître livides, alors les
robes des filles ont l'air de n'avoir pas encore
été payées et les hommes de ne vraiment pas pouvoir s'offrir le vin qu'ils boivent — n'y en a-t-il pas

135

un qui soit heureux? Tout devient sombre à présent — où se trouve donc mon Berlin si clair? Si seulement il n'était pas de plus en plus muet.

Allons-nous-en. Je connais dans l'Ouest un endroit formidable, cher — mais encore dans mes moyens. C'est une boîte de nuit très distinguée, italienne, avec de ces artistes — j'y suis allée une fois avec les élites — on y boit un vin qui vient directement d'Italie et qui soûle merveilleusement, on y voit parfois des femmes follement intéressantes et des gens chic, tout est plein de mystère, avec un plafond bas et sombre — personne n'a besoin de se sentir gêné d'être différent de ce qu'il est dans la journée.

Je lui demande : « Tu es fatigué?

— Non, je ne suis pas fatigué, je te remercie — tu crois qu'à l'asile il y aura un jardin?

— Bien sûr qu'il y aura un jardin. »

J'en chialerais. Partons — tout a changé d'aspect — devant le Vaterland, il y a un type en train de cogner sur une pauvre fille — elle crie — un flic s'amène — il y a des tas de gens plantés là, qui ne savent où aller, dépourvus d'éclat, pas même des êtres humains — tout juste des pierres tombales mortes qui marchent — et quand on se regarde, c'est qu'on veut quelque chose les uns des autres — mais pourquoi n'est-ce donc jamais rien de bon? Ses jambes se déplacent avec lourdeur et je sens sur mes épaules un poids qui vient de lui et qui est passé en moi maintenant.

Nous voici dans la boîte italienne — il ne faut pas qu'on remarque ici qu'il ne voit pas, ils deviendraient méchants parce que ça risque de perturber la gaieté générale. « C'est beau, ici, pas vrai? » Des lampes tout en mosaïque et des coins tranquilles, mais pas le genre de coins où on va pour se peloter, non, quelque chose de beaucoup plus distingué, et tout ça qui baigne dans du rouge sombre — l'orchestre chante et il y a un buffet intéressant, avec des oranges comme des soleils oubliés.

Une fille de la rue Saint-Paul, une fille de la Reeperbahn — « Tonnerre de Dieu, quelle gueule ça a », comme dirait Thérèse, parce que son type disait toujours ça — et cette phrase, c'est à peu près la seule chose qu'elle ait gardée de lui. Je vais me mettre à chialer d'une seconde à l'autre — je raconte des choses marrantes — ma voix vacille comme une flamme sur le point de s'éteindre — il rit péniblement et dit : « C'est splendide! » Mais je n'y crois pas.

Lui non plus n'est pas amoureux, ce serait pourtant la seule chose susceptible de changer l'ambiance — mais nous sommes complètement enfermés dans un cercle froid, qui permet seulement à nos deux têtes de penser l'une à l'autre, et rien d'autre — parfois j'ai l'impression que la mienne s'envole sur un tas de neige toute blanche et glacée

— j'ai de nouveau froid, froid à en mourir, dans ma solitude — pour une fois, c'est lui qui doit m'aider — quand il sera à l'asile et qu'on ne se verra plus, il faudra que trois fois par jour il ait de bonnes pensées pour moi — ce serait très important — tout au fond de moi, je le saurais, et ce serait tellement réconfortant — mais sans doute que c'est déjà trop demander?

Je l'ai peut-être un peu aimé, après tout — seulement je ne veux pas, c'est une chose dont je me défends toujours à cause de ma carrière et parce que ce n'est qu'une source de tourments. Mais qu'est-ce qu'on y peut? On s'en rend toujours compte trop tard, quand ça commence à vous faire bêtement mal au ventre — il pourrait bien me prendre une fois la main.

« La ville n'est pas bonne, la ville n'est pas gaie, la ville est malade, dit-il — mais toi, tu es bonne et je te remercie. »

Je ne veux pas qu'il me remercie — je veux seulement que mon Berlin lui semble beau. Maintenant, tout a changé d'aspect à mes yeux — je suis soûle et je rêve éveillée — *Une fille de la rue Saint-Paul, une fille de la Reeperbahn* — les musiciens préféreraient manifestement rentrer chez eux — et puis une fille de la Reeperbahn, c'est vraiment une pauvre bougresse, ça ne vaut pas la peine d'y mettre tant de jubilation quand on la chante. Parfois, l'un d'eux rit — et son rire repousse au fond de sa gorge, au moment même où il va jaillir, tout le dépit de la veille et du lendemain. Je ferme les yeux — tous ces discours qui sortent de tant de bouches, qui coulent les uns vers les autres comme un fleuve charriant des cadavres de noyés, ce sont leurs mots joyeux qui flottent déjà le ventre en l'air avant de parvenir aux oreilles d'autrui, qui arrivent morts — mon oncle, un jour, a porté un noyé — en sweater blanc, au clair de lune — pourquoi a-t-il fallu que nous pensions à tout ça tout à l'heure?

A Sankt-Pauli, près d'Attona, il m'a abandonnée — les chansons sont pourtant bien belles — à la table voisine, il y a deux hommes et une femme qui viennent de se rencontrer, ils font connaissance, ils se regardent avec une amicale méfiance et commencent par penser tout le mal possible les uns des autres.

Je parle avec lui, je voudrais bien finir par trouver un mot qui me permettrait d'être près de lui — ah, je n'en peux plus — allons-nous-en — qu'est-ce qu'il y a donc en moi? — quelque chose que je voudrais tuer. Être soûle, coucher avec des hommes, avoir beaucoup d'argent — c'est ça qu'il faut vouloir, et ne penser à rien d'autre, sinon comment tenir le coup? — qu'est-ce qu'il y a donc de fichu sur cette terre?

Dehors, toujours pas d'étoiles. Nous marchons — l'église commémorative ment, elle fait seulement semblant d'être une église — si c'en était vraiment une, on ne pourrait pas s'empêcher d'y entrer et d'y rester. Où y a-t-il donc de l'amour, et quelque chose qui ne s'en aille pas en morceaux dès la première seconde? Soûle comme je le suis, il faut encore que je fasse attention — à lui — ce bras étranger — retourner chez sa femme — dans la cuisine.

« L'air est bon, ici, dépeuplé », dit-il — sur le Kurfürstendamm il se peuple à nouveau, l'air. A un coin de rues, les voix de quatre jeunes gens, qui ont un instrument de musique et chantent ensemble, d'une voix pleine d'espoir : *C'est la jeunesse, c'est l'amour.* Nous nous arrêtons et nous écoutons parce que, par une pression de son bras, il m'a demandé qu'on s'arrête — ensuite, ils font la quête, ce sont des jeunes gens bien, avec un visage heureux, parce qu'ils ne se laisseront pas démolir, ils n'ont absolument pas peur, ils avancent d'un pas sûr. Ils se remettent à chanter, tout dans leur voix est jeune — moi non plus, je ne suis pas encore vieille.

« C'est beau », dit-il, et il aspire à pleins poumons les voix, l'air et les morceaux d'étoiles — il fouille dans sa poche et en sort quelques pfennigs économisés pour acheter du tabac en prévision de l'asile — il les donne aux jeunes gens et dit : « C'était beau — quatre voix juvéniles, comme ça, qui s'accordent, et qui sont pleines de force et de vie — en plein air. C'était beau. »

Pour ça, ce n'était vraiment pas la peine d'aller si loin ni partout. Subitement, il fait une tentative pour marcher seul, d'un pas énergique — comment pourrais-je donc le laisser comme ça! — mais me voilà bien fatiguée.

Le Ranowsky de notre maison, qui est quelque chose que j'ai honte d'écrire noir sur blanc, a été arrêté, parce qu'il a frappé une de ses filles au point de la laisser à moitié morte et qu'elle l'a dénoncé. Maintenant, elle passe toujours près de nous quand elle monte, elle s'appelle Hulla, elle a un visage large, complètement en débandade, et des cheveux teints en jaune. Il n'y a qu'une blonde pour avoir l'air si vulgaire qu'on se demande comment un homme peut aller avec. Elle porte des jumpers bon marché, étriqués et tout en laine, qui moulent ses formes d'une façon très commune. Voilà qu'elle m'aborde dans l'escalier et se met à me parler — je n'étais qu'à moitié rassurée, car ces bas-fonds me sont terriblement étrangers — on peut donc en arriver là. Je me suis montrée aimable par peur et aussi parce qu'il n'y a personne d'autre qui le soit avec elle. A côté, j'étais une vraie vedette. C'est plutôt comique : chaque vedette a au-dessus d'elle une vedette qui lui est supérieure.

Elle tremblait, elle m'a demandé de l'argent pour acheter de la nourriture aux poissons rouges, parce qu'elle n'est pas en mesure de gagner convenablement sa vie, à cause de son visage couvert de taffetas gommé. Tellement il l'a battue.

Maintenant il est en taule. Et il lui envoie des lettres menaçantes lui enjoignant de s'occuper des poissons rouges et surtout de Lolo. « Soigne bien mes bestioles chéries, femme, sinon je te briserai les côtes quand je sortirai. »

Alors nous sommes allées regarder ces petites bêtes, qui nageaient, rouges et têtues, Lolo était gras et indolent. « Pourvu qu'il ne soit pas malade! » s'est écriée Hulla d'une voix aiguë comme une pointe de flèche, elle avait l'air d'avoir très peur avec son visage couvert de taffetas gommé.

L'Albert de Tilli est revenu d'Essen. « Mais reste donc », m'a-t-elle dit.

Quelquefois, il me prend par le bras, comme ça, avec une force contenue, alors ma solitude cesse. Seulement, c'est le type de Tilli.

J'y suis arrivée. Je suis — mon Dieu — maman, j'ai fait des achats : une petite veste de fourrure, des chapeaux et du cervelas de première qualité — est-ce que c'est un rêve? Me voilà puissante. Je me sens tout excitée.

« Voulez-vous, je vous prie, aérer mon kimono en soie naturelle », dis-je à ma femme de chambre, qui vient toujours comme une femme de ménage.

Il m'appelle au téléphone et me dit : « Fais-toi chic, poupée, nous allons à la Scala ce soir. »

Toute une enfilade de pièces sur le Kurfürstendamm. Je prends des bains qui durent parfois trois heures, avec des sels parfumés de luxe dans mon eau.

Lui, c'est une boule toute rose et très gaie. J'ai fait sa connaissance dans un café d'Unter den Linden, où l'on baigne dans une musique de très grande classe. Je l'ai regardé, il m'a regardée. Je ressemble à une fille dont il a été amoureux à l'école — il doit y avoir au moins trois cents ans de ça, tant il est vieux, mais ça produit justement un effet calmant.

Je marche sur des tapis. Mon pied s'y enfonce, tandis que j'allume la radio : *L'amour, l'amour est une puissance céleste.* Et moi qui suis siii joliiie. J'en pleurerais presque, car maintenant je ne sais pas quoi faire de ma beauté — pour qui suis-je belle? Pour qui?

Il a une entreprise, qui est très compétitive, et des yeux si réconfortants.

« Alexandre, lui dis-je, Alexandre, mon chou, mon petit edam tout rond, je suis siii heureuse!

— Est-ce que moi aussi, tu m'aimes un petit peu, ma colombe, pas seulement mon argent? » me demande-t-il plein d'anxiété — et ça me touche tellement que je l'aime effectivement un petit peu.

Alexandre me raconte son enfance pendant des heures et je l'écoute, parce que j'ai pu tirer de l'argent en son nom pour rembourser Thérèse et lui envoyer dix-huit disques, dont un de moi, avec des choses que j'ai dites dans les magasins Tietz. Thérèse, je t'aime, ne m'oublie pas, je vais peut-être devenir une star de cinéma, car Alexandre me couvre de toilettes et me trouve terriblement bourrée de talent, je roule en Mercedes, même les ongles de mes pieds sont vernis, je me cultive intellectuellement et je dis parfois *C'est ça olala* *. Je suis une dame. Mes chemises sont en *crêpe lavable* * de Paris avec des motifs brodés à la main. J'ai un soutien-gorge qui a coûté onze marks cinquante et une paire de chaussures qui est un modèle en cuir d'autruche véritable. Si seulement vous pouviez me voir! Madame désire? me demande le chauffeur d'Alexandre. Au revoir, ma Thérèse.

A une époque, ma mère avait envie d'une perruche. Je lui ai donc fait envoyer neuf perruches, des flacons de cristal, du linge et tout. A Thérèse aussi. J'ai une espèce de nostalgie de la maison — je suis tellement distinguée que je pourrais me dire « vous » à moi-même. De mon lit, garni d'un couvre-pieds de soie, je prends le téléphone, je compose un numéro et je dis : « Alex, mon rouge soleil du matin, apporte-moi une livre de chocolats Sarotti, je te prie!

— C'est comme si c'était fait, poupée », répond-il et moi, je continue à me reposer, en chemise de nuit de dentelle ou en déshabillé. Parfois, j'éprouve comme une petite pointe d'ennui. Mais c'est bien

---

* *En français dans le texte.*

beau, tout de même. J'ai offert un canoë à Tilli.

Alex me dit : « Viens, poupée, nous allons boire du champagne. Mon petit Mickey, tu es une vraie perle de rosée. »

C'est un homme plein de savoir-vivre, bien qu'il soit petit et gros. Tous ses amis, rien que des gros industriels, disent : « Sacré vieux séducteur, où as-tu dégotté cette jolie femme? » et ils me baisent la main.

Alexi est très nerveux, je lui ai dit : « Mon enfant, il te faut du repos, allons dans une station balnéaire.

— Laisse tomber, ma souris, les temps sont durs », dit-il. Et, toute la nuit, il parle d'une voix haletante — tant il est nerveux.

« Consulte un médecin, mon trésor », lui dis-je, mais il ne veut rien entendre.

L'appartement est tellement chic, le chauffeur est tellement chic, tout est si fabuleux. Je me promène à travers les pièces. Il y a des tapisseries rouge sombre — c'est follement distingué — et des meubles en chêne et en noyer. Il y a des bêtes avec des yeux qui éclairent, on les met en marche électriquement et elles mangent la fumée. Et des fauteuils-clubs qui ont des petits cendriers fixés dessus comme des bracelets — voilà le genre d'appartement que c'est.

Et puis je fais quelque chose de tout à fait sensationnel. Je m'avance dans mon déshabillé qui fait un bouillonnement de soie autour de mes pieds et caresse mes genoux, je lève tout doucement mes deux bras, qui sont couverts de dentelle — à mes pieds, des pantoufles de soie rose garnies de fourrure — je lève donc mes deux bras comme si j'étais sur une scène, je pousse la grande porte coulissante et ça y est, je suis sur une scène. Une porte coulissante, à mon avis, c'est le comble de la distinction. Puis je referme la porte, je recule, et je recommence — j'entre en scène au moins dix fois tous les matins.

Quelle vie, ah quelle vie!

Repéré un sac en crocodile véritable — acheté sur-le-champ.

Je m'enchante moi-même.

Tout d'un coup, je comprends les femmes de Ranowsky et cette Hulla avec son taffetas gommé. Qu'est-ce qu'elle peut bien faire, celle au taffetas gommé, avec son argent pour elle toute seule? Il y a toujours des hommes, mais qui en fait n'en sont pas — rien que des automates, à qui on cherche à extorquer quelque chose — avoir quelque chose, simplement, recevoir quelque chose, c'est pour ça qu'on se lance là-dedans — alors on voudrait bien aussi en avoir un qui ne soit pas un automate, et à qui on puisse donner aussi. Je me suis remise à lire des tas de romans.

Je me baigne énormément.

Quand la femme du rondouillard rentrera de voyage, il faudra une fois de plus que je quitte les lieux. Qu'est-ce que c'est que la bonne société?

Est-ce que je fais maintenant partie de la bonne société? J'ai des chaussures de soie blanche de chez Pinet à quarante marks la paire et je sais dire *Olala c'est ça* * de façon à faire croire à tout le monde que je parle le français à la perfection.

Il me dit : « Sois-moi fidèle, poupée, ce soir il faut que je t'abandonne à toi-même. »

Tilli n'était pas chez elle. Je suis allée dans des boîtes. Mon petit-gris. Je devais être fatiguée, ça ne marchait pas.

Chère maman, hier c'était dimanche, sans doute que tu as dû faire cuire du chou rouge et que ça s'est mis à puer le vinaigre dans la pièce, comme d'habitude. Mais ma mère prend toujours le meilleur vinaigre.

Ma tête était comme un trou, vide et bourdonnante. J'ai réalisé un de mes rêves : j'ai roulé en taxi sans interruption pendant une heure, longue comme cent bonnes heures — toute seule, à travers les longues rues berlinoises. J'avais l'impression d'être à la fois le film et les actualités.

J'ai fait ça parce que normalement je prends toujours des taxis avec des hommes, qui me pelotent — il y a ceux qui me dégoûtent si bien que j'ai besoin de toutes mes forces pour penser à autre chose — et ceux qui me plaisent, et alors ce n'est plus un taxi mais un canapé de boîte de nuit ambu-

---

* *En français dans le texte.*

147

lant. Je voulais pour une fois faire une vraie course en taxi. Il m'est déjà arrivé de prendre des taxis seule, quand un type me donnait de l'argent pour rentrer à la maison — mais je n'étais assise que du bout des fesses sur la banquette et j'avais toujours les yeux rivés sur le compteur. Aujourd'hui, j'ai roulé en taxi, seule comme les gens riches — bien calée contre le dossier du siège et le regard tourné vers la fenêtre — au coin des rues, toujours des boutiques de cigares — des cinémas — *Le Congrès s'amuse* — Lilian Harvey, c'est une blonde — des boulangeries — les numéros des maisons, éclairés ou non — des rails — des trams jaunes qui passent à côté de moi en glissant, les gens qui sont dedans savent que je suis une vedette — je suis assise tout au fond de la banquette et je ne regarde pas le compteur qui sautille — j'interdis à mes oreilles d'entendre son cliquetis — des lumières bleues, des lumières rouges, des millions et des millions de lumières — des vitrines — des vêtements — mais pas de modèles — d'autres voitures roulent parfois plus vite — un magasin de literie — un lit vert, qui n'est plus tout à fait un lit mais quelque chose de plus moderne, tourne en rond indéfiniment — des plumes tourbillonnent à l'intérieur d'un grand verre — des gens vont à pied — et le lit moderne tourne — tourne.

J'aimerais tellement être terriblement heureuse.

Dieu merci, j'ai réussi à sauver, outre mon

petit-gris, le sac en peau de crocodile, les chaussures de soie blanche et une valise avec une partie
des affaires m'appartenant. Quand sa femme est
arrivée à l'improviste, un matin, j'étais encore
au lit. J'ai dit ensuite à ma femme de chambre que
je lui laissais l'eau de Cologne entamée pour
qu'elle la lui balance sur le front. Je suis allée à la
poste, pour téléphoner au rondouillard, à son
bureau. Il est arrêté. Pourquoi? Sûrement une
histoire d'argent. De nos jours, ce sont justement
les gens les plus chic qu'on arrête.

Je suis allée voir Tilli et je lui ai offert les chaussures de soie blanche. Elle ne les estime sûrement
pas à leur juste valeur, et même sans ça elle m'aurait
acceptée chez elle. C'est justement pour cette raison, parce que je le savais, que je les lui ai offertes.

Et maintenant? Le type de Tilli, ce gros dur
d'Albert, pointe au chômage, et Tilli va faire le
ménage chez les Ronnebaum.

J'ai revendu le sac en croco en dessous de son
prix.

La même chose, toujours la même chose.

J'ai rencontré la fille au taffetas gommé dans
l'escalier. Au fond de mon ventre, j'ai le désir que
tout le monde m'aime. C'est toujours comme ça
quand personne ne vous aime vraiment.

Parfois, Albert saisit mon bras. Tilli l'aime. Le
matin, il faut qu'elle s'en aille. Son regard a cessé

de m'aimer. Les hommes me sont tous indifférents. Le gros dur s'ennuie. Pas de travail. Tilli partie. Et moi qui suis là. Neuve en quelque sorte. Il y a des moments où ma tête désire être contre son bras, c'est pour ça que je me lève très tôt, que je quitte la maison avec Tilli et que je me promène.

Bientôt Noël.

La tension règne et il y a sans arrêt des heurts à la maison. « Non, dit Tilli, tu n'as pas à repasser les chemises d'Albert. » A la fin, on se met toutes les deux à pleurer, et puis on s'embrasse.

Moi qui lui ai encore parlé il y a un instant. Morte. Elle était pourtant bien gentille. Hulla est morte. C'est Ranowsky. Ils l'ont juste laissé sortir ce matin. Le plus important des poissons rouges s'appelait Lolo. Lolo est mort, parce que Ranowsky a fait à Hulla une balafre à la bouche, qui ne s'en ira plus jamais — c'est le médecin qui l'a dit. Alors elle est allée droit aux poissons rouges, elle a attrapé Lolo et elle l'a fichu par terre. Ensuite elle s'est précipitée dans l'escalier en criant pour m'appeler. Nous remontons ensemble et je dis : « Allons, mademoiselle Hulla! »

Lolo gît sur une feuille de journal. Elle s'écroule sur le plancher, elle me crie : « Mets-le dans l'eau, fais-le vivre, remets-le dans l'eau! »

Je le mets dans l'eau. Il flotte, le ventre en l'air.

Elle dit : « Je ne voulais pas. »

150

Elle dodeline de la tête. Ce n'est jamais ce qu'on voulait. Il y a quelque chose d'impitoyable avec nous, qui fait que se produit justement ce que nous avons fait semblant de vouloir mais ne voulions pas en réalité. Nous avons pleuré sur la bestiole. Puis nous avons fumé une cigarette et nous nous sommes remises à pleurer sur le poisson.

« Je l'ai nourri, dit Hulla, et cette nuit un type m'a demandé : Qu'est-ce que tu as au visage, tu es malade? Je l'ai nourri, moi. Et le type qui demande si je suis malade. Je voulais trois marks, j'ai besoin de bas neufs. »

Elle me montre ses bas criblés d'échelles. Puis elle reprend : « C'était ce que nous avions convenu : trois marks — et tout d'un coup : deux marks cinquante — moi, je voulais seulement mes trois marks — un jour, il y a trois ans, un type m'en a donné quarante — et c'était tellement injuste! » Je trouvais aussi. « Ensuite, chez le médecin : Ça ne s'en ira plus jamais, mon visage a quelque chose de malade, et puis ces deux marks cinquante — alors je suis devenue haineuse et quand on ne peut pas atteindre ce qu'on hait, on bousille ce qu'on aime et qui est à votre portée. » C'est Ranowsky qu'elle hait — oui, c'est lui.

Le poisson flottait toujours le ventre en l'air, il y en avait trois autres dont les gueules venaient buter contre. Le ventre du mort était livide. Par terre, la grosse Hulla, qui priait. Une peur terrible

— « Soigne bien mes bestioles chéries, femme... » —
il est si coléreux.

Alors je dis : « Je vais te chercher du cognac,
Hulla! » — car elle était complètement en miettes.

Et Tilli qui n'est pas là. Je dis : « Albert, passe-
moi la bouteille, s'il te plaît! » — il est soûl, le
voilà qui m'empoigne — « Non, Albert — je t'en prie
— le poisson rouge! »

Mais pourquoi le Bon Dieu lui a-t-il justement
donné une de ces haleines qui me plaisent — et puis
moi, de toute façon, j'étais dans une agitation folle.
Ses yeux. Juste un instant. Une de ces cavalcades
dans l'escalier. Juste un instant. Tilli — Hulla!
Quand je remonte, il y a plein de gens là-haut.
Dans la pièce, Ranowsky. Hulla a sauté par la
fenêtre au moment où il ouvrait la porte.

Quelquefois, il y a des miroirs dans lesquels je
suis une vieille femme. Ce sera comme ça dans
trente ans.

« Mais je ne dis pas qu'il faut que tu t'en ailles,
ce n'est pas ce que je dis, reste donc » — a dit
Tilli. Alors je suis partie. Puisque je suis une
épine dans son existence et qu'elle a été si correcte
avec moi. J'ai loué une chambre meublée pour
quelques jours — tant que j'aurai de l'argent.

La propriétaire est dégueulasse, la cage d'escalier est dégueulasse, et les waters aussi, qui font
en même temps fonction de placard à balais, sans
lumière ni rien. Et puis, de toute façon, une chambre

meublée! on éprouve là-dedans un sentiment de solitude vulgaire. Maintenant, plus rien ne me touche, ce que je veux, c'est Tout. Il existe tant d'hommes, pourquoi pas un pour moi? J'en ai marre de tout ça. Quand ils sont riches, ils ont des femmes idiotes et on les arrête, est-ce que c'est moral? Il doit pourtant bien y avoir autre chose en ce bas monde?

J'ai dit à cette vieille pingre de propriétaire : « Madame Briekow, qu'est-ce que ça signifie, où sont passés mes mouchoirs avec un M brodé? »

Je les ai fauchés moi-même et il n'y a pas de raison pour que je me les laisse piquer par ce tas de viande de cheval puante qu'est la propriétaire. En moi s'éveille une énergie nouvelle. Il faut simplement que j'échappe à la déclaration de séjour. Pour ma part, je ne peux pas dire que la police m'ait procuré beaucoup d'agrément jusqu'à présent. Cette fois, il faut que j'évalue mes chances.

Un froid terrible dans cette pièce. Ce cinglé d'Albert! Tout le mal vient de ces abrutis de bonshommes. D'un autre côté, on a tout de même besoin d'eux. C'est écœurant. Je pourrais peut-être chercher quelque chose dans le cinéma. Dans ce cas, je n'ai qu'à rester assise du matin au soir, à longueur d'année, dans un café à gens de cinéma. Un beau jour, ils finiront par me découvrir et ils me feront faire de la figuration en tant que cadavre en train de crever d'inanition. Bande d'ordures. La colère pétarade en moi comme un moteur. Je suis tellement déchaînée que j'en ai doublé de volume! Cinq pfennigs de supplément, qu'elle me prend, la Briekow, pour un petit pot d'eau chaude. Ce n'est pas la question des cinq pfennigs, c'est la grossièreté du geste. Bientôt, elle va s'installer dans son placard-à-balais-waters et elle réclamera un groschen à chaque fois. Je pourrais aussi devenir entraîneuse. Récemment, je suis allée dans un bar avec la Chenille. Au Café de l'Ouest, cette grande perche tordue s'est collée à moi — un costume à petits carreaux et une cravate à pois, plus d'huile que de cheveux sur la tête et deux Cherry Brandy, et moi avec mes chaussures en vrai cuir d'autruche, à plus de quarante marks! Les filles sont à distance les unes des autres, chacune sur son tabouret, comme des poules plumées sur leurs perchoirs, qui auraient besoin d'une bonne cure de Biomalt avant de pouvoir se remettre à pondre. Et, devant elles, de ces types! — comme des lapins libidineux qui feraient le beau. Et leurs discours! Il faut les entendre. Pour trois groschen d'argent de poche, ils parlent huit heures d'affilée devant un porto-flip — rien que des mensonges, naturellement. Et puis ils deviennent taquins — et il faut voir un peu les plaisanteries qu'ils font. Si j'étais entraîneuse, je ne rirais pas pour moins d'un mark. Des toilettes, j'en aurais bien quelques-unes. Mais ce qui me manque, hélas, c'est une robe du soir vraiment chic. Je vais à la poste, téléphoner à Lippi Wiesel, qui m'a aimée jadis. Il faisait partie des élites, sans être tellement pauvre, parce qu'il travaille dans un journal et que sa situation y est stable.

J'appelle donc Lippi Wiesel qui, soit dit en passant, a justement une tête de belette*. J'ai d'abord établi mon plan parce que dans la bande je passais plutôt pour quelqu'un de distingué.

Je dis comme ça, avec une voix détendue : « Allo, Lippi — oui, comment ça va? — oui — dis-moi, tu connais la Suède?

— Oui », répondit-il.

Alors moi : « C'est précisément le premier endroit où je voulais aller. » Et j'ajoute : « Connais-tu la Grèce?

— Oui.

— Il a fallu que j'y aille aussi, au début. »

Je réfléchis : quels pays peut-il bien encore y avoir où ce cochon ne soit pas allé? Car j'avais mon plan et il fallait que je lui en impose. Je demande : « Connais-tu la Bulgarie?

— Non. »

Voilà ta chance, me dis-je, et je me lance : « Eh bien, j'étais justement en Bulgarie, mon père avait secrètement affaire avec le gouvernement de là-bas — oui, je suis tout juste de retour, non, mon père

---

* *Die Wiesel*, en allemand, signifie : la belette.

y est encore. J'ai eu là-bas une histoire avec le ministre de l'Industrie — terriblement désagréable — là-bas quand on marche sur le pied d'un homme ça veut tout de suite dire qu'on a l'intention de s'engager sérieusement avec lui — je ne le savais pas — ça m'est arrivé par mégarde. Alors mon père m'a dit : Ma fille, fais en sorte qu'il n'y ait pas de suites ou bien va-t'en, sinon tu vas ruiner mes affaires — il sentait le caoutchouc, tout le monde là-bas sent le caoutchouc — un très beau pays, à part ça — dans les cafés les tables sont en partie incrustées d'or véritable — dès que vous entrez, les garçons, vêtus de velours rouge, vous demandent : Carabitschi? — ça veut dire : Votre nom? — on le leur dit — et aussitôt on vous apporte une cafetière sur laquelle, grâce à un procédé électrique, vous voyez étinceler vos initiales. »

C'est de cette façon qu'il faut aborder Lippi Wiesel, car ces types-là ont besoin qu'on les impressionne à coup d'internationalité. Ensuite, je l'ai rencontré.

J'habite chez Lippi Wiesel. Il croit que mon père est au gouvernement, et c'est l'unique attrait érotique que j'ai à ses yeux, en général il est plutôt porté politiquement sur les blondes. Chez les hommes, la politique et l'érotisme vont parfois main dans la main, à cause de la race et des convictions. Je suis déjà contente d'être partie de chez la Briekow. Il existe des cours pour apprendre les langues étrangères, pour apprendre à danser, pour apprendre les bonnes manières ou la cuisine. Mais il n'existe pas de cours qui vous apprennent à être seule dans des chambres meublées, avec une cuvette et un broc ébréchés, à être seule sans qu'aucun mot vienne vous dire qu'on se soucie de vous, sans aucun bruit.

Il ne me plaît pas trop mais je suis avec lui parce que tout être humain est un fourneau pour mon cœur plein de la nostalgie d'un foyer ou, plus exactement, non pas d'un foyer mais de quelque chose d'authentique dans ce foyer. Voilà les pensées qui tournent dans ma tête. Je m'y prends sûrement mal avec ma vie, mais en quoi?

Peut-être que je ne mérite pas autre chose.

Aujourd'hui, c'est Noël. Les hommes sont soûls de neige. Vraiment soûls, comme on l'est de vin. Être soûl, c'est le seul moyen de ne pas être vieux. Tant d'années rampent à ma rencontre.

J'ai offert à Thérèse, par l'intermédiaire de Tilli, une tablette de chocolat aux noisettes et je lui souhaite que la tapisserie désolée de sa chambre se mette à avoir des tas de bouches qui lui donnent des baisers vivants.

J'ai offert à ma mère un chauffe-cafetière par l'intermédiaire de Thérèse et de Tilli. Je lui souhaite que son mari, qui est aussi mon père, la prenne une fois dans ses bras sans être soûl.

J'ai offert à Tilli ma chemise de soie lilas et je lui souhaite que son Albert remarque quand elle la mettra, et aussi qu'il trouve du travail.

Hulla était une putain, peut-être que les femmes de cette sorte n'ont pas de tombe, il y a des fois où l'on rend la vie tellement dure aux hommes sur terre que c'est tout à fait idiot de prier pour eux quand enfin ils ont eu le bonheur de mourir. Et puis s'il n'y avait pas d'hommes pour payer, il n'y aurait pas non plus de Hullas — pas un homme n'a le droit de dire du mal de Hulla. Je lui souhaite vraiment un ciel où la bonté qu'il y avait dans ses yeux trouve enfin à s'employer. Et, si elle est devenue un ange, qu'elle ait des ailes qui ne soient pas collées avec du taffetas gommé.

Je me souhaite très fort à moi-même d'entendre la voix d'un homme qui soit comme une cloche bleu marine et qui me dise : Écoute-moi, Doris, ce que je dis est vrai.

J'offre à mon petit-gris un parfum de lavande et je lui souhaite de ne pas perdre ses poils. De même qu'à nous tous.

J'ai brodé pour Lippi Wiesel trois cadres avec des fleurs différentes, j'ai acheté un arbre de Noël, je l'ai décoré et enfermé dans la salle de bains. Plus tard j'allumerai les bougies, j'attiserai leurs flammes, et je voudrais que nous ayons pour une fois une pensée l'un pour l'autre, comme des êtres humains dignes de ce nom.

Je suis dans un café. J'avais préparé Noël.
C'était le réveillon. Tout n'est que saloperie.
J'avais allumé les bougies, décoré la table avec des
branches de sapin. Et j'attendais. Pas de Lippi.
Parce que moi, voyez-vous, je suis justement de
celles dont les hommes sont invités, les jours de
fête, dans une famille où on s'ennuie ferme mais
qui appartient au même milieu social, au même
monde qu'eux. Il faisait donc la fête pendant que
celle que je suis attendait. Puis je suis allée me
coucher. Les bougies sur mon arbre ont continué
à brûler et une branche a pris feu.

Un grand feu, tout rouge — j'ai envie d'un feu
comme ça — à l'école, il y avait Paul — nous avions
fait un feu dans les jardins ouvriers — un feu pour
cuire des pommes de terre — nous avons mangé
les épluchures brûlées — Paul, c'était l'ours brun,
dans le ciel il y avait comme un mur abrupt de
brume grise — nous avons bâti une tour avec les
flammes — moi, j'étais une Indienne, avec une
plume de poule derrière mes oreilles décollées
— elles ne le sont presque plus maintenant. D'ailleurs mes cheveux les recouvrent. Je voudrais
faire un feu sur un sol très dur et raboteux.

« Pardonne-moi, ma chérie » — le voilà — il est
soûl, le cochon. « Excuse-moi, les Brenning ne
m'ont pas laissé partir, je leur ai apporté pour
quinze marks d'orchidées, crois-tu que ce soit
suffisant? C'est que le mari a de l'influence —

elle, elle vient de recevoir deux jeunes scotch-terriers, on les mettra un de ces jours dans la partie illustrée du journal — de charmantes petites bêtes — pas très propres malheureusement — tu vois la tache sur mon genou — tu pourras l'enlever demain matin?

— Mets au moins la radio, s'il te plaît, dis-je. *Douce nuit, sainte nuit, tout s'endort au-dehors, seul le saint couple veille* — à l'école, je chantais la première voix — *Dououce nuit.*

« Je n'ai pas de cadeau pour toi, ma brave petite, tu sais, les temps sont si durs, mon petit chat, partout on cherche à vous faire sauter, je n'ai pas même touché mes dernières piges — et puis Noël, de toute façon! C'est juste bon pour les hommes d'affaires — mais pour toi, mon enfant — pour toi j'ai un cadeau, le plus beau, le meilleur que je puisse t'offrir — c'est moi que je t'offre » — et le voilà qui bondit sur le lit avec chaussures et bretelles.

« Je vous en prie, monsieur, restez couvert, dis-je, écumant de rage.

— Notre Noël allemand! » jappe-t-il.

Allez vous faire pendre, avec votre Noël allemand! Je saute du lit — coucher avec un ivrogne — pas question, ma valise — « Tout de suite, mon chéri, je reviens tout de suite, je vais juste chercher quelque chose » — ma valise, pantoufles, robe, chaussures — vite, vite — « Voilà, j'arrive tout de suite! » — Dieu merci, les clés sont sur la table, vite, vite — *Douce nuit, sainte* — où sont les clés — *Douce* — j'emporte le savon, il est à moi — Au revoir! — il roupille déjà — Portez-vous bien!

C'est comme ça que j'ai passé une nuit d'hiver à somnoler sur un banc du Tiergarten. C'est une chose qu'on ne peut pas imaginer tant qu'on ne l'a pas vécue.

3.

Beaucoup d'hiver — une salle d'attente

Je tourne en rond avec ma valise, je ne sais que faire ni où aller. Je suis très souvent dans la salle d'attente de la gare du Zoo. Pourquoi les garçons de café se montrent-ils tellement méprisants quand il se trouve par hasard qu'on n'a pas d'argent?

Je ne veux pas rentrer à la maison, je ne veux pas aller chez Tilli, je ne veux pas aller chez Lippi ni chez ces autres crétins — je ne veux plus, je n'en ai plus envie. Je ne veux plus de ces hommes qui sont invités pour Noël. Je veux — je veux — quoi au juste?

Il y a des salles d'attente et des tables, je m'assieds là. Je ne veux pas engager mon petit-gris, je ne veux pas — d'ailleurs je n'ai pas de papiers. Tilli connaissait une femme qui l'achèterait sûrement. Mais moi, je ne veux pas. Parfois, ma tête s'affaisse sur la table, ma fatigue est comme un poids très, très lourd. J'écris parce que ma main a besoin de faire quelque chose et que mon cahier, avec ses pages blanches et ses lignes, est tout prêt à prendre en charge mes pensées et ma lassitude, à être un lit où vont reposer les mots que j'écrirai, si bien qu'une petite partie de moi, au moins, aura un lit.

Ma table sent la cendre froide, vulgaire, et le bouillon cube Maggi. La dame des toilettes m'a offert un pain au cervelas qui a un goût hygiénique, c'est de la santé médicinale. Je le sais par Rose Krall, qui était assise au café Jaedike et qui avait un ami médecin. Quand on écoute une fille, il est toujours possible de savoir ce qu'était son dernier ami car la langue qu'elle parle, c'est celle de sa profession à lui.

Mon Dieu, quelle fatigue! Envie de rien. Tout m'est tellement égal. Au milieu de mon accablement surgit pourtant une sorte de curiosité, celle de savoir comment ça va bien pouvoir continuer. *Hello, madame l'hôtesse, une coupe encore, et en vitesse* — pourquoi y a-t-il tant de chansons à propos du Rhin? A côté, un homme joue de l'harmonica, son front est ratatiné comme une vie entière. Hier, je suis allée avec un type qui m'a abordée, il me prenait pour ce que je ne suis tout de même pas. Du moins pas encore. Le soir, il y a des putains à tous les coins de rues — des quantités sur l'Alex — et aussi sur le Kurfürstendamm, à Joachimsthaler, à la gare Friedrich et partout. Mais elles n'ont pas toujours l'air d'en être, avec leur allure indécise — ce n'est pas forcément au visage qu'on reconnaît une putain — je me regarde dans mon miroir — c'est à la façon qu'elles ont de marcher, comme si leur cœur était endormi.

Je suis passée lentement devant l'église commémorative, j'ai descendu la rue Tauentzien et j'ai continué, comme ça, avec une sorte d'indifférence dans les jarrets, ma marche n'était qu'une forme d'immobilité, intermédiaire entre le fait de continuer et celui de revenir sur mes pas, car ni l'une ni l'autre de ces deux perspectives ne me tentait. Aux coins des rues, mon corps faisait une pause, car on éprouve là, au niveau du dos, comme un désir de s'appuyer contre cette arête aiguë qu'on appelle coin, on voudrait pouvoir s'y adosser et la sentir très fort. Alors, dans la lumière qui converge de plusieurs rues, un visage se dessine, il regarde d'autres visages, il attend quelqu'un, c'est une sorte de sport et c'est très excitant.

Je continuais toujours, les putains se tenaient aux coins des rues, pratiquant leur sport, et en moi il y avait une sorte de mécanisme qui reproduisait exactement leur démarche ou leur immobilité. Un type m'a abordée, du genre plutôt bien, et je lui ai dit : « Je ne suis pas votre " enfant ", je suis une dame. »

Nous avons bavardé dans un restaurant, il m'a fallu boire du vin, alors que j'aurais tout aussi bien mangé quelque chose pour le même prix. Mais les hommes sont comme ça — ils dépensent très volontiers de grosses sommes pour boire, mais ils se jugent exploités si on leur fait débourser une petite somme pour de la nourriture parce que se nourrir, c'est quelque chose de nécessaire, tandis que boire, c'est superflu et par conséquent plus distingué. Il était balafré et il voulait connaître les bas-fonds. Car il se trouvait de passage à Berlin et il aurait bien aimé rencontrer un danger pour pouvoir se montrer courageux.

Je me suis rendue avec le balafré dans une cave derrière la place Nollendorf — vide à en bâiller. Au centre, un espace pour danser, et un éclairage très morne, comme la réverbération d'une lune voilée de brume dans les flaques d'eau d'une arrière-cour. Un endroit froid, bon marché, avec un haut plafond en voûte. Sur les murs, des tableaux représentant des hommes d'autrefois en train de se livrer à des pratiques immorales. Des tables séparées, avec des nappes comme on en voit le dimanche chez les concierges. Des filles de la rue, avec des robes qui ont été à la page il y a cinq ans, ou même plus. Tout est démodé, une sorte de Moyen Age complètement mort, comme dans les romans. Un orchestre. Un type qui crée l'ambiance et qui reçoit un mark par soirée. Il a fait de la prison, et avant il était acteur. Dans le genre des jeunes premiers de mon ancien théâtre : les mêmes cheveux blonds et ce teint qui le soir, sous les projecteurs, leur donne un air de bébés roses mais qui à la lumière du jour les fait ressembler à de vieux malades dans un hôpital. Il a aussi écrit pour des journaux. Il s'avance au milieu du plancher gris et désert, il a un cornet en papier journal qu'il se colle sur le nez et auquel il met le feu. Boum, boum, boum, fait l'orchestre, et la lumière s'éteint, c'est d'ailleurs là qu'on se rend compte qu'il y avait de la lumière. Ensuite, il s'agenouille — avec, sur son nez, le cornet de papier journal qui n'est plus qu'une flamme — il se penche en arrière, il porte des culottes tyroliennes.

« Que voulez-vous boire? me demande le balafré, il ne se passe rien ici. »

Une putain à casquette rouge applaudit, l'écho applaudit à son tour, le cornet est très grand, il brûle lentement, le comédien secoue la tête pour écarter les flammes de son visage — *O Donna Klara...* joue l'orchestre, et la lumière très pauvre se rallume. Il s'appelle Herbert, je le connais, il n'y a pas trois ans il faisait encore partie des élites.

Après, il a posé sur sa tête un petit chapeau idiot et il s'est mis à faire des grimaces.

« Donnez-lui un mark, ai-je dit au balafré.

— Dix pfennigs feront tout aussi bien l'affaire,

m'a-t-il répondu, en lançant à Herbert une pièce de six pfennigs.

— Dommage que vous n'ayez pas eu de plus petite pièce! »

Là-dessus, conversation. Où il est question d'érotisme, comme toujours. Parfois, on en a marre. Des plaisanteries érotiques, des récits d'expériences érotiques, des propos sérieux et savants sur l'érotisme, qui sont censés être graves et techniques, et pour cette raison même risquent de devenir les plus obscènes du monde, la pire dégueulasserie. Mais il ne faut pas montrer qu'on pense ça, parce qu'un balafré comme celui-ci vous adresse alors un sourire plein de mépris : Pouah, je pensais que vous étiez une femme au-dessus de ces choses-là, mais il faut toujours que les bonnes femmes aillent s'imaginer Dieu sait quoi!

La nuit dernière, j'ai dormi quelques heures dans un taxi. Le chauffeur ne m'a rien demandé en échange. « De toute façon, je dois rester là, m'a-t-il dit, installez-vous donc à votre aise, si un client vient je vous réveillerai, mais il n'en viendra guère par les temps qui courent. »

Je me suis roulée en boule, j'ai dormi et il m'a laissée tranquille. Jusqu'à ce que vienne une clarté sans étoiles, c'était déjà le matin mais encore une sorte de nuit. La lumière montait du sol comme un brouillard blanc et soyeux, si bien que mon cerveau fatigué se demandait comment elle parvenait à percer les durs pavés de la rue. Le ciel était dépourvu de toute clarté. Mon dos me faisait mal.

« Merci, ai-je dit au chauffeur en lui tendant ma main qui, d'avoir reposé sur la banquette, était brûlante, raide et pleine de fourmis.

— B'jour », a-t-il dit sans la prendre.

Je suis partie. Il était complètement fermé, même un remerciement ne trouvait plus de place en lui. Mais moi, je savais que ça s'appelle avoir de la chance que de rencontrer un homme pendant les trois minutes de la journée où il est bon. J'ai beaucoup de temps — c'est comme ça qu'on fait des calculs. Une journée compte 24 heures, dont la moitié représente la nuit, reste : 12 heures. 12 heures, ça fait $12 \times 60 = 720$ minutes, j'ôte 3 minutes de bonté, restent pour un homme 717 minutes de méchanceté ordinaire. C'est une chose qu'il faut savoir si on ne veut pas se laisser démolir. Ce qui est le droit de tout un chacun. Ça me ferait terriblement plaisir de pouvoir me laver les cheveux, j'ai une vraie tignasse d'Indienne. « Tes cheveux sont comme les forêts éternelles », me disait-on jadis — mais qui, au fait? Des forêts... Ça me fait penser aux myrtilles et aux petits seaux en tôle. Ils contenaient à l'origine du sirop de pommes. Ah, voilà Karl.

Je viens d'avoir une conversation très animée, grâce à Karl. C'est sûrement un drôle de numéro. Il cultive des salades et des radis et il sculpte des pipes et des petites poupées. Il habite dans les jardins ouvriers, c'est un Berlinois authentique, qui parle un dialecte insolent, qui a une chevelure cendrée insolente et qui est toujours de bonne humeur. Il a été ouvrier dans la mécanique, maintenant il est chômeur, et encore jeune. Il fabrique toutes sortes de petits trucs qu'il porte dans une boîte autour de son cou — en plus de ses radis — rien que des bricoles, et il dit qu'il est un Woolworth ambulant, marchant sous le soleil et sous la pluie. Il vend ses babioles dans les quartiers de l'Ouest et parfois il vide un demi en vitesse dans la salle d'attente de la gare du Zoo.

« Hello, jeune Sibérienne, me lance-t-il, pourquoi cette fourrure? Viens avec moi, viens m'aider un peu, travaille avec moi! »

Sa bouche a sacrément faim d'une femme.

« Comment est-ce que je pourrais bien travailler avec toi, Karl? je lui demande.

— Ma bicoque a deux petites pièces, dit-il, et puis il y a une chèvre, tu pourras la traire, tu pourras faire notre lit, laver les carreaux, coudre des yeux à mes petites poupées multicolores — viens, ma petite, ton visage est si mignon, et puis le reste aussi — tu veux donc finir sur le trottoir? Crois-moi, ma petite, c'te maudite concurrence entre les gars qui veulent travailler est sacrément grande, c'est sûr, mais il y a plus grand encore, c'est la concurrence entre ceux qui veulent rien foutre,

172

entre les macs et les types comme ça, qui veulent arriver à quèqu'chose en se tournant les pouces et sans transpirer — pourquoi est-ce que tu veux faire partie de la plus grande concurrence? »

Albert arrêté pour vol avec effraction. Et Tilli avec, pour complicité. Une nuit, il s'est soûlé dans une brasserie. Et puis il a fait le malin. On voyait une fourchette en plaqué argent qui dépassait de la poche de sa vareuse. Le flic était assis derrière lui. Une pareille bêtise, ça ne m'inspire que du mépris. Est-ce que c'est là un authentique malfaiteur? Eh bien non, ça n'a rien à voir avec un vrai malfaiteur.

A ma table est assis Gustav-la-Pédale, qui ressemble à un petit bout de misère dégobillé. Il est assis là et il roupille. Arrivent les flics qui font une ronde. Je me tire avant. Ils embarquent Gustav au poste. Sa tête continue à dormir tandis qu'il marche. Je vais me planquer auprès de la dame des toilettes.

« Madame Molle, dis-je, je vous revaudrai ça un jour.

— Çui qu'a glissé en bas de la pente, j'crois pas qu'y puisse remonter », me dit-elle en me regardant d'un œil fixe.

Je vais me forcer à faire la conversation, parler, parler sans arrêt — elle a un petit radiateur — « Vous avez chaud, ici, madame Molle » — il y a des carreaux laqués blancs qui sont comme un miroir pour ma voix.

« L'hiver n'est pas froid du tout, cette année, dit-elle.

— Non », dis-je.

Maintenant je suis de nouveau assise, en train d'écrire et de rêvasser. Voilà Gustav qui revient, au poste on l'a relâché, alors il a rappliqué, il s'écroule dans un coin et il se remet à pioncer. Il est tellement fatigué qu'il oublie complètement d'être une pédale, quand on a aussi faim et qu'on est aussi crevé on redevient normal.

« Tu es encore là? » demande Karl, et il me balance une blonde et deux saucisses. « Tu viens avec moi?

— Non, j'ai mon amour-propre » — avec ces deux saucisses dans le ventre, je retrouve mon amour-propre.

« Foutaise, l'amour-propre! Qu'est-ce que ça veut dire, l'amour-propre? » Il prend une voix tonnante. « Tu crois que moi, j'ai encore de l'amour-propre? Manger, boire, dormir, une fille gentille, de la bonne humeur — c'est ça, mon amour-propre. Si j'obtiens ça par mon boulot, si j'obtiens ça en me crevant le cul tout ce qu'il y a de plus honnêtement, tant mieux. Mais si en bossant, en me crevant le cul tout ce qu'il y a de plus honnêtement, je l'obtiens pas, alors je fauche, je pique c'qui me faut pour bouffer, et j'ai des remords que si je suis assez con pour me faire pincer. »

Et il se met à me raconter des trucs sur le socialisme. « Ça s'ra p't'êt pas encore vraiment ça, mais on aura p't'êt' de l'air véritable à respirer, ça s'ra p't'êt' un début — tandis que maintenant on est en pleine poisse et pas près d'en sortir. Tu viens? Non, tu viens pas? — Tu commences à me mettre les nerfs en pelote, avec ton amour-propre!

En écheveau, c'est pas mal non plus — et merci beaucoup pour les saucisses. »

« Tu viens avec nous au club? » me demande le petit Schanewsky.

J'y vais, c'est derrière l'Alex. Il me paie le trajet. Il a justement du travail. C'est un club prolétarien. Il n'y a là ce soir que le petit Schanewsky et quatre filles. Au troisième étage, deux pièces, des quantités de livres, sur les murs des mots écrits dans tous les sens, dans une langue qui a l'air juive.

Je parle avec la fille qui est ouvrière, qui s'appelle Elsa et qui a la peau fine.

Je pose ma tête sur son épaule. Ils parlent ensemble et je n'y comprends rien de rien. Il se passe des événements prodigieux sur cette terre et moi qui n'y comprends rien. Trop bête. Leurs voix font comme un bourdonnement qui me berce, l'épaule d'Elsa a une odeur maternelle, sur les tables il y a du papier blanc, la lumière est comme celle d'une cuisine. Mes paupières se ferment, Schanewsky m'offre un plat avec un mélange de foie et d'oignons — je dors et je rêve que je mange.

175

Leurs voix bourdonnent, je pense que je dois leur dire que je ne suis rien politiquement — il faut toujours qu'on soit quelque chose. Et toujours à propos de la politique. Et toujours autre chose.

Sur le buffet, il y a des oranges toutes rondes, du fromage et de la viande.

Brusquement, Elsa fait glisser son épaule de sous mon visage, il y a un vacarme terrible — des chaussures, des tas de chaussures qui s'approchent — les filles se mettent à hurler et à ouvrir précipitamment les fenêtres. Dans son coin, Schanewsky regarde avec des yeux très doux — une dizaine de blousons jaunes s'agitent dans la pièce, ce sont des ennemis des autres, encore une histoire de politique. Ils se ruent sur le buffet et, dans l'éclairage qui fait penser à une cuisine, ils paraissent tout pâles et affamés, ils jettent les oranges par terre et dévorent toutes les saucisses. Ils font un drôle de bruit exténué. Engloutissent les saucisses. Puis repartent. Que signifie tout ca?

Chaque jour, c'est en fait une nouvelle année qui commence et c'est particulièrement le cas aujourd'hui, puisque c'est la Saint-Sylvestre. Un jour où on boit du punch. Faire fondre du plomb, c'est complètement inepte, et pourtant mon cœur se désole à l'idée que je me retrouve aujourd'hui sans rien de gai, de coloré, sans chaleur, sans rien du tout. Les bars, ça ne marche pas. Je vais aller dans des cafés, vendre des fleurs — demain. Il faut

d'abord que j'aie un capital pour pouvoir les acheter. S'il vous plaît, pour une fois — je vais me laisser
aborder dans la rue, avec tout ce que ça veut dire,
et payer. Une fois, une seule fois. Et puis ça me
ferait terriblement plaisir de retourner au cinéma.

« Tu veux venir avec moi?
— Oui. »

Il avait une voix comme de la mousse vert foncé.
Mais est-ce que ça veut dire quelque chose? Est-ce
que je sais comment parlent les assassins sadiques,
est-ce que je sais comment parlent ceux dont j'ai
honte d'écrire le nom noir sur blanc? Une grosse
bête d'omnibus galopait avec un serpentin accroché
dessous. J'avais quand même envie de voir les yeux
de La Mousse Verte — c'était la Saint-Sylvestre, le
sol était mouillé et glissant. Depuis trois minutes,
on était en 1932.

C'est bien ça l'essentiel, quand on change d'année : au bureau il faut écrire les lettres en mettant
en haut un nouveau chiffre, ce qu'on oublie très
facilement pendant les quatre premières semaines.

« *Pauvre gigolo, joli gigolo,* fredonnait La Mousse
Verte.
— Pourquoi donc? ai-je demandé.
— Ma femme a fichu le camp avec un type
comme ça.
— Berlin est une grande ville, il s'y passe des tas
de choses », ai-je dit, car il faut bien dire quelque

chose quand les hommes vous font des confidences sur leurs états d'âme, bien que ce soit des mensonges à tous les coups, ce qui fait qu'on peut dire n'importe quoi.

« Votre femme reviendra, avec la poisse que j'ai... »
Nous marchons dans la rue. Je vois les yeux de La Mousse Verte — de gentils yeux bleus, garantis grand teint.

« D'accord, je viens avec vous. » Dix marks — je vais lui demander dix marks. Il a une lèvre inférieure de bébé sensuel qui aurait trop braillé. Mon Dieu, on a si vite fait de se laisser émouvoir par un type comme ça.

« Vous êtes de passage? » me demande-t-il. Le chameau! Eh bien oui, je suis justement de passage. J'ai une valise à la main — en vraie fibre vulcanisée — une valise avec mes chemises de Bemberg et d'autres trucs, avec mes affaires berlinoises, péniblement gagnées. Celui-là, s'il se tire avec ma valise, je lui saute à la gorge et je lui arrache la tête à coups de dents.

« Je suis seul », dit-il. Ils le sont tous. Mettons.

« Je ne sais pas où aller », dis-je dans la rue Tauentzien, et j'ai les genoux qui flanchent, parce que j'ai faim et aussi que je le fais exprès.

« Allons, venez donc avec moi! » Je vous en prie, monsieur Mousse Verte. Et nous voilà dans l'omnibus — pas de taxi?

« Pauvre petite fille », dit-il. Une telle vague de

pitié me tombe dessus, dans cet omnibus, que je me mets à pleurer toutes les larmes de mon corps. Bonté divine. Où allons-nous comme ça? Chez moi.

Dans la salle de bains, il y a une balance, je pèse quatre-vingt-dix-sept livres. J'ai des salières — si la maigreur est vraiment à la mode, je n'aurai pas de mal à percer. C'est idiot, ma gorge me gratte. Et puis je suis enrhumée. Cette maison, c'est pour moi comme si un été tout entier l'habitait.

Ça fait toujours un drôle d'effet, au début, de se tenir devant une porte qu'un autre est en train d'ouvrir, et dans une cage d'escalier inconnue. Le marbre a une odeur froide, il ne m'aime pas. Le locataire en titre allume la lumière, il sait exactement où se trouve l'interrupteur — ce qui lui donne une supériorité. Pour monter, on se met dans une sorte de petite pièce, c'est un ascenseur — sur les parois, des sacrées cochonneries de miroirs — est-ce que je suis vraiment affreuse à ce point? On se sent gêné parce qu'on n'est jamais assez bien — mais à moi, ça m'est presque égal. Il a un manteau fait dans un tissu épais et gris, on appelle ça un ulster. Les ulsters sont toujours gris. Je songe : les assassins sadiques portent des blousons. L'ascenseur s'arrête — légère envie de dégobiller. C'est un moment où on se sent plein de considération pour quelqu'un qui possède un trousseau de clés, ça cliquète et il y a un secret dans toutes ces clés, qu'il est seul à connaître. Alors on est là à côté,

179

impuissant. Il a une raie bien comme il faut, dans une chevelure blonde, ce qui n'est guère excitant.

« Je vous en prie », dit-il, et j'entre la première. Tout est moderne partout. Pas de chêne aussi précieux que chez les gros industriels.

« Je suis très content que vous soyez ici, je veux dire qu'il y ait quelqu'un ici, mon aventure paraît drôle aux autres mais pour moi elle ne l'est pas du tout, ça m'isole terriblement du reste du monde.

— Oui, bien sûr, dis-je.

— Maintenant, si vous voulez rester un peu, mademoiselle...?

— Doris.

— Mademoiselle Doris. »

Il a un appartement avec des tapis en liège, trois pièces-salle de bains, un hévéa, un divan très large recouvert d'un tissu soyeux, et puis des lampes métalliques très chic comme chez les dentistes — et il trouve le moyen de se ronger les sangs pour une femme qui a fichu le camp. Il en existe tant d'autres. Il a un lit laqué, tout plat, et des petites tables de nuit comme des marmites japonaises — et des cernes sous les yeux à cause d'une femme. Il en existe des troupeaux entiers qui cavalent de l'Alexanderplatz à l'église commémorative et de la rue Tauentzien à la Friedrichstrasse, dans le lot on en trouve de jolies, on en trouve de chic. Et des jeunes, aussi. Il y a des tas d'hommes qui cavalent partout — est-ce que je vais me soucier, quand j'ai besoin de manger, de savoir pourquoi je chope celui-ci et pas celui-là? Tout ça, c'est la même chose — si l'on excepte quelques raretés — les sourds, les paralysés, les sadiques. Quel nigaud vous faites, monsieur, ce que possède l'une, une autre l'a aussi! J'ai eu le droit de manger trois oranges.

Quelle lavette! — « Les mains froides? » Pour sûr, comment est-ce qu'elles pourraient être chaudes? — Non, je vous en prie, il faut qu'il lâche mes mains. Ça me dégoûte, cette voix comme de la mousse et ces simagrées doucereuses avec mes mains.

« Fatiguée, petite fille — fatiguée, pauvre petite bonne femme, vécu de durs moments, hein? Fini d'être triste, maintenant. Vous voulez me raconter? Quel âge avez-vous?

— Dix-huit. » Raconter? Non, je ne veux pas raconter, pas un mot ne sortira de ma bouche.

« Pourquoi ces grands yeux tristes? » Toujours cette voix comme de la mousse — comme une herbe très douce — ciel — s'il continue à se donner tout ce mal pour moi, je lui flanque un coup dans les tibias. Il me dégoûte, il me répugne — ça me dégoûte qu'il soit si bon avec moi, j'ai très envie de lui sortir un mot tout à fait grossier.

« Nous allons nous coucher. »

Très bien, allons nous coucher. Je vais dans la salle de bains. Je me déshabille. Un grand miroir. C'est ça, moi? Oui, c'est ça. Ma jambe gauche est plus forte que ma jambe droite. Il n'y a pas de chair sur mes os, ma peau est jaune et terriblement fatiguée. Une chèvre qui crève de faim. Mon visage n'est guère plus grand qu'une tasse ordinaire, tout écrabouillé, avec un bouton sur le menton — c'est ça qui veut devenir une vedette? — c'est ça qui veut — il y a de quoi rire. De rage, je mords la baignoire. Des cheveux gras, tout esquintés — une, deux, trois côtes — des hanches tout en os. Mon Dieu, c'est à ça que ressemble un squelette mort — vous pouvez venir vous instruire, messieurs, venez donc vous instruire. Et avec ça il faut encore être sensuelle. Je suis au bord de vomir. Dix marks, voilà ce qu'il doit me donner, mon Dieu, il faut qu'il me donne dix marks, je ne ferai ça qu'une seule fois avec lui, il me répugne tellement, je ne veux pas coucher avec lui — dix marks et puis j'irai vendre des fleurs, et puis — je m'achèterai aussi de la crème — pour le visage — je — si je continue à me regarder dans la glace, je vais baisser mon prix. Ça suffit. Où est ma chemise de nuit en soie de Bemberg? Dix marks.

« Je vous ai préparé de quoi dormir sur le divan. »

Bon. Lit ou divan — peu importe. Peut-être que comme ça je ne serai pas obligée de partir tout de suite après, que je pourrai rester jusqu'à demain — mais alors il faut qu'il débarrasse le plancher, je ne veux pas l'avoir encore à côté de moi après — espèce de grenouille molle et dégoûtante. Il me caresse les cheveux — ah non, je vous en prie — ah non, je vous en prie, je ne peux plus supporter un homme, je ne veux plus d'homme — dix marks! — un hurlement qui se coince dans ma gorge — « Arrêtez de me caresser les cheveux, je ne peux supporter ça » — être bon avec moi par-dessus le marché, maintenant c'est la pire insulte.

« Je vous en prie, je suis si fatiguée », dis-je. Un lit. Pour y être allongée, de tout mon long.

« Bonne nuit, dit-il, dormez bien. »

Il est parti! Et il ne revient pas. Je commence par m'étonner, et puis j'ai honte. Ensuite, je me dis : Allons bon, qui sait encore quelle saloperie se cache là-dessous. Mais je n'ai pas le choix.

Après, je me suis endormie. J'ai rêvé des choses intéressantes, dont je ne me souviens malheureusement pas. Et jusqu'à aujourd'hui, je n'ai pratiquement fait que dormir, j'ai à peine mangé, seulement dormi, sans arrêt. Je ne sais pas grand-chose des mots qui ont pu être échangés, je ne connais que mon sommeil.

« J'ai fait du café, dit-il ce matin, à huit heures. Maintenant, je vais au bureau, dormez donc tout votre soûl. Je reviens à six heures, serez-vous encore là?

— Oui.

— A l'office, vous trouverez de quoi manger. Vous n'aurez qu'à prendre ce que vous voudrez.

— Oui. »

Bien sûr que je serai là, où est-ce que je pourrais

bien être, sinon? Mais je me sens furieuse — espèce d'imbécile de Mousse, tu vas bien finir par te démasquer.

« Voudriez-vous me laisser quelques cigarettes?

— Je laisse la boîte sur la table du petit déjeuner. » Voyez-vous ça — des cigarettes à six pfennigs — ma foi! S'il a les moyens. A midi, je les ai fumées toutes les dix.

Je lui demande : « Dites-moi, vous ne me connaissez pas, vous me laissez toute seule ici à longueur de journées, je pourrais déménager toute la maison, tout emporter... »

Il me regarde : « D'abord ça me serait égal, et ensuite vous ne le faites pas. » Bien sûr que je ne le fais pas — mais pourquoi égal?

« Vous n'avez pas besoin de vous donner beaucoup de mal pour gagner tout ça, non?

— Si.

— C'est quoi, votre travail? »

Il fait des dessins pour des réclames. Il part à huit heures le matin et rentre à six ou sept heures du soir. Si bien que son visage est marqué de rides, comme du cuir, et ses yeux cernés de gris-bleu. Il n'a pourtant que trente-sept ans. C'est encore relativement jeune pour un homme.

Je suis toujours fatiguée. Je n'arrête pas de dormir et ce n'est jamais suffisant. Mes bras pendent, complètement inertes, je n'ai de goût à rien. Je n'ai pas la moindre envie — ni d'argent, ni de voir ma mère, ni de voir Thérèse. Je sors de mon lit, le café est prêt. Il a recouvert la cafetière de sa housse au crochet multicolore, qui fait très bonne famille. Il est midi, le café est tiède, il y a des petits pains, du bon beurre et du miel qui colle. Je mange très peu. Parfois, mes yeux s'ouvrent, il est huit heures du matin, il est là qui vaque, puis il s'assied à la petite table en face de moi, pour prendre son café. « Continuez à dormir tranquillement », dit-il.

Je continue à dormir. Ensuite, il est midi, je prends un bain, non pas pour faire bien mais parce que je ne peux pas rester éternellement couchée, alors la baignoire pleine d'eau chaude, c'est un peu un second lit. Après, je bouge un peu, je fais quelques pas dans la pièce où il y a le bureau, je m'assieds, j'écris quelque chose, je m'installe sur la petite chaise longue, et tout d'un coup ça y est, je me trouve de nouveau couchée et je me rendors. Plus tard, il rentre. Il fait de l'ordre dans l'appartement, sans dire un mot — peut-être que c'est moi qui devrais le faire, mais s'il me fiche dehors ça m'est complètement égal. Je me coucherai dans la rue et je continuerai à dormir. Ensuite, nous nous asseyons, c'est le dîner, il y a du pain et du jambon. Il boit du cognac. Moi, je n'aime pas ça.

« Pourquoi est-ce que vous me permettez de rester ici?

— Parce que j'ai peur de rentrer chez moi et de ne trouver personne, pas un souffle de vie —

restez donc encore un peu, je vous le demande. »
Complètement cinglé — c'est lui qui me le
demande, en plus.

Hier soir, il m'a posé des questions sur moi.
Qu'est-ce que je pourrais bien dire? En ce moment,
il ne me vient pas un seul mot pour parler de moi.

Ça paraît inquiétant, tout ça. Je bois trois
cognacs, je mets la radio — voilà Rome, ville
étrangère, et puis de la musique. Sur le mur en face,
une image en noir et blanc, un peu de travers. Le
mur est doré comme un après-midi d'août. L'image
bouge. Un tapis en liège et un petit balcon. Ça
donne tout de suite froid de regarder comme ça
un balcon, surtout en hiver — et en même temps on
est content d'être assis bien au chaud dans un
appartement qui sent l'été.

« Vous ne voulez pas vous promener, vous ne
voulez pas aller une fois au cinéma, qu'est-ce que
vous faites donc toute la journée?

— Je dors.

— Toujours aussi fatiguée, mademoiselle Doris?

— Oui.

— Vous êtes malade?

— Non.

— Vous devriez manger davantage, vous devriez
prendre l'air.

— Oui.

— Pourquoi est-ce que vous ne riez jamais, vous

avez un souci, on a été méchant avec vous? »
L'image vacille.

« Monsieur, dis-je, et je me lève, vous me laissez
dormir ici, vous me laissez manger de tout, sans
façons, vous mettez une housse crochetée sur la
cafetière chaque matin, et puis toujours ces boîtes
de cigarettes à six pfennigs — vous attendez
quelque chose de moi — si vous — enfin si — si vous
voulez — eh bien alors, je vous en prie. » Il dit :
« Quoi? — Je pense qu'il faut que je paie, d'une
façon ou d'une autre.

— Si ça vous dit, mademoiselle Doris, vous pour-
riez faire les lits le matin et mettre un peu d'ordre
dans la maison. »

Est-ce que je suis affreuse au point qu'il ne
veuille pas de moi?

Se promener seule, c'est terriblement ennuyeux.
Mais maintenant j'ai faim. J'ai lavé la vaisselle et
mis la table. Je ne fais pas son lit, il me dégoûte, sa
chambre à coucher me dégoûte.

Il a posé dix marks à côté de ma tasse à café.
Est-ce qu'il faut que je m'en aille? C'est ça que ça
veut dire? Est-ce que je dois partir? Il ne dit pas un
mot, il pose, tout simplement. D'ailleurs, je ne
comprends rien à ce type. C'est précisément ça
qui me répugne, cette façon de marcher sans bruit,
de parler doucement, et jamais un brin de raison.
Maintenant, je m'en vais acheter des côtes de
veau, que je ferai cuire pour ce soir, avec des

choux de Bruxelles, pour qu'il ait tout de même quelque chose de chaud dans le ventre.

« Vous n'êtes pas un homme, je lui dirai, il faut que vous mangiez de la viande, comme ça, avec vos dents, vous êtes une espèce de plante idiote, voilà comment on devient quand on ne mange pas de viande. »

Maintenant, il traîne dans la chambre à côté. Mais, bon sang, prenez donc l'os dans votre main — j'avais envie de lui dire — puisqu'on est entre nous. C'est très joli d'être un homme galant et distingué, mais chez vous, ce ne sont pas des manières de galant homme, ce sont des manières de plante.

« Chère petite Doris, je vous remercie. »

Et de quoi donc, je vous le demande, espèce d'asperge sans cervelle. Vous — laissez tomber ce genre de discours — je vous en supplie. Il pourrait bien prendre son os dans sa main. Il peut le faire. Des mains toujours si propres, si blanches — il faut pourtant bien que des mains comme ça soient sales aussi de temps en temps. J'ai envie de lui casser un ongle.

« Si vous voulez, je sais taper à la machine, vous pouvez me dicter vos lettres », lui ai-je dit, et maintenant il me les dicte.

J'ai mis des fleurs sur la table, parce que ça fait joli. Mais il va encore me dire : Ah, ma chère petite Doris, et se faire aussi mou qu'une asperge cuite. Je préfère balancer les fleurs par la fenêtre.

Hier, il m'a dit : « Ma petite Doris, je crois que vous vous êtes enfuie de chez vous — nous allons écrire à vos parents, ils se font sûrement du souci — petite sotte, est-ce que vous avez la moindre idée de tout ce qui aurait pu vous arriver ici, à Berlin? »

« Est-ce que vous avez la moindre idée de tout ce qui m'est déjà arrivé! » disait au fond de moi une voix qui ne parvenait pas jusqu'à ma bouche. Il me prend donc pour une oie blanche. Ce qui m'explique bien des choses. Hubert aussi était contre, au début — à cause de la responsabilité. Est-ce que ça a vraiment une telle importance?

Il boit du cognac et me dit : « Les femmes s'enfuient toujours, une fois ou l'autre, non? tout d'un coup, elles n'en peuvent plus, c'est cela? Ma femme... » — et le voilà qui se met à me parler de sa femme. C'est là que je me rends compte qu'il me prend vraiment pour une oie blanche, et de bonne famille, en plus. Il est vrai que je parle peu, et comme quelqu'un de cultivé, je dis : « Je suis fatiguée » — quelle fille cultivée dirait ça autrement? Je dis : « Merci », je dis : « S'il vous plaît » — est-ce qu'une fille cultivée s'exprimerait différemment? Il se fait donc de moi une idée grandiose, sinon il ne pourrait pas me parler de sa femme. Voilà le genre d'homme que c'est. Une plante. Il me montre sa photo. Elle est jolie, ce qui me contrarie affreusement. Blonde. Qu'est-ce que ça veut dire :

blonde? Lui qui est blond, il devrait être davantage porté sur les brunes.

« Elle a un visage si doux.

— Quel âge a-t-elle? je demande.

— Vingt-sept ans. » Quelle vieille bique! « Je ne sais pas si vous pouvez vous représenter cela, mademoiselle Doris, elle était d'une intelligence — comme un vrai corps de femme, bien solide. Elle était si loyale — c'était comme si elle se déshabillait, on ne pouvait pas s'empêcher de l'aimer. Ses mensonges, c'était comme des tissus multicolores, si légers, on voyait son corps au travers — ses mensonges mêmes étaient loyaux, on était obligé d'aimer ses mensonges. »

Pourquoi la salope ne portait-elle pas de chemise sous ces tissus si légers? me dis-je. Il parle comme dans les romans des élites, d'ailleurs c'est exactement la même chose, un homme qui écrit des romans et un homme qui est amoureux.

« On est absent du matin au soir, voyez-vous — alors elle, elle m'attend — elle a fait de la danse autrefois — elle avait une façon de se mouvoir... tellement inspirée. Elle se met à sortir l'après-midi — je dis : Bon, sors donc, fais tout ce qui te plaît, danse, ma chérie, voici de l'argent, va dans les salons de thé. Là, il y a un gigolo jeune et pauvre, un joli gigolo, qui ne l'a pas toujours été, naturellement. C'est là qu'il en est arrivé. Autrefois, il était comédien. Et auparavant, ingénieur. Un

artiste, comme elle. Énormément d'amour-propre.
Et il la maltraite.

— C'est bien là la question, dis-je, cette façon si
douce que vous avez de ne pas vouloir d'une
femme et de bien la traiter par-dessus le marché,
aucune n'a la force de le supporter. »

Il l'a toujours ménagée, dit-il. Y a-t-il une femme
qui supporte d'être ménagée à longueur de mois?
Ça vous donne la nausée. « Moi aussi, je vous
aurais plaqué, dis-je.

— Ah bon », et il pose sur moi ses grands yeux
bleus, interrogateurs. « Je ne comprends décidément rien aux femmes, je... »

Une fois de plus, je me suis sentie touchée, bien
malgré moi — ces coudes, dans leurs manches de
costume grises, appuyés sur la table, ces cheveux
si blonds, de ce blond moyen qui est celui des
hommes, pas vraiment blonds, en fait. Et puis
cette musique venue de Rome, cette peau comme
du cuir, ces deux brosses à dents teintes en noir
— je veux parler de ses sourcils. Et, devant, une
coupe de porcelaine avec des mandarines qui sont
des oranges simplifiées — moins acides et plus
commodes à éplucher. Naturellement, il a des
mandarines, il se facilite les choses à tous les points
de vue!

Je lui crie : « Mangez plutôt des oranges! » Mais
les mandarines, c'est tellement plus simple. De la
musique à la radio. Est-ce qu'il dort, maintenant?

Est-ce qu'il porte des pyjamas rayés, en flanelle?
Elle a fichu le camp.

« J'ai toujours fait mon devoir », dit-il. Comme si
ça suffisait. Il est grand et mince. Est-ce que son
dos est très maigre? Il devrait manger de la graisse
d'oie. De la graisse d'oie.

Je connaissais par hasard une histoire drôle
qui n'était pas inconvenante. Riez donc, pour une
fois, je vous en prie, monsieur Mousse Verte, il
faut bien qu'un homme rie de temps en temps,
non?

« Comme vous avez su raconter ça! dit-il.

— J'étais partie pour devenir comédienne.

— Ma femme voulait danser chez Gharell.

— Je le connais personnellement. » Et subitement
je me rends compte que ce n'est pas vrai du tout.
« S'il vous plaît, donnez-moi un peu d'argent. »
Il m'en donne.

« Est-ce que vous avez besoin de velours? Ma
femme portait souvent des robes de velours bleu. »

J'ai acheté une oie.
Je demande : « Elle est fraîche, cette oie, elle
ne sent pas?

— Si vous ne sentez jamais plus mauvais que
cette bête, pourrez dire que vous avez de la chance »,
me rétorque la marchande, qui a un bout de tissu
noir autour du cou.

Je lui fais comprendre qu'elle ferait mieux de laisser mes odeurs tranquilles.

J'ai fait rôtir l'oie. Pour dimanche et de mes blanches mains. La graisse d'oie est bonne pour les nerfs du dos, c'est ma mère qui disait ça.

« Permettez », dit-il avec distinction, et il prend la cuisse dans sa main.

« Pourvu que ça vous plaise », dis-je.

Moi, j'ai pris un petit morceau de blanc. Et il nous en reste encore pour les prochains jours. Je crois que ça lui a plu. Le voilà qui remet ça : sa femme, les jambes si longues qu'elle avait, le souci qu'il s'est fait à cause d'elle. Bon, admettons. J'ai acheté un mètre. Quelle peut bien être la longueur idéale pour des jambes? Il s'appelle Ernst. Il y a de quoi rire. On se l'imagine tout de suite... *Pourquoi souris-tu, Mona Lisa?*

« Belle chanson, non? dis-je, histoire de faire conversation chic d'après-dîner.

— Ma femme aimait Tchaikovski.

— Ah bon — moi, j'ai connu quelqu'un qui s'appelait Ranowsky, vous savez, quand un nom se termine par -owski, il y a toujours quelque chose de louche — il y avait une certaine Hulla...

— Que savez-vous de la vie? » demande-t-il. Bien assez. Penser ses réponses sans les dire. Ça revient au même, de toute façon personne ne comprend.

« Vous voyez ce coussin? C'est ma femme qui l'a brodé. »

Bien sûr, je le vois, ce coussin — des fleurs brodées comme ça, on en trouve gratis dans les boîtes de cigarettes à quatre pfennigs — quand on fume, on n'a pas besoin de broder, n'est-ce pas? Il me raconte des choses si comiques, toujours à propos de sa femme, il dit que nous vivons une drôle d'époque, où les gens s'acharnent à tout démolir, à tout déchirer. Que celui qui veut rester honnête est obligé d'admettre qu'il n'arrive pas à s'y retrouver, qu'un type instruit ne peut plus rien édifier du tout, qu'il n'y a plus de sécurité nulle part. Le monde entier est incertain, la vie, l'avenir, ce à quoi on a cru et que l'on croit encore, même le travail ne procure plus de véritable satisfaction, parce qu'on conserve toujours au fond de soi une sorte de mauvaise conscience à la pensée de tous ces gens qui n'ont pas de travail du tout. Si bien qu'un homme dans son genre n'a que sa femme, qu'il est terriblement dépendant d'elle, parce qu'il veut croire en quelque chose de vrai, et ce quelque chose, c'est son amour pour sa femme. Et puis voilà qu'elle ne veut pas de tout cet amour, ce qui fait qu'on n'a plus la moindre valeur. Et parce que, aujourd'hui, on n'est plus qu'un fardeau pour tout le monde — on a un immense besoin de l'être unique pour lequel on représente une joie. Et puis, tout d'un coup, on cesse de représenter pour lui une joie. De nos jours, les gens bien ne peuvent que sombrer et, dans une période de naufrage et de bouleversement comme celle que nous connaissons, les premières à sombrer sont les femmes — l'homme, lui, est retenu par la loi, et il retient à son tour la femme — mais, quand toutes les lois humaines sont anéanties, l'homme se retrouve sans soutien, sans qu'on s'en rende vraiment compte, parce qu'en fait il n'a jamais eu de véritable soutien sur le plan moral — mais ce qui tombe en premier, si bien que tout le monde s'en aperçoit, ce sont les femmes.

J'enregistre toutes ses paroles, j'aimerais bien réfléchir dessus mais je n'ai pas les moyens de bien comprendre. J'ai d'abord voulu trouver un symbole, comme je l'avais fait avec les élites, et puis finalement, je me suis contentée de dire : « Oui, de nos jours il y a énormément de putains », mais je ne sais pas si elles sont vraiment plus nombreuses qu'autrefois, ni ce qu'ils ont tous à s'en prendre toujours à l'époque. Quand on est un petit enfant et qu'on commence tout juste à entendre, on a déjà les oreilles rebattues de ces histoires de temps épouvantables, où on ne sait pas ce qu'on va devenir. Moi, quand je pense au temps, je me dis seulement que je vais devenir vieille, affreuse et ratatinée, et ça, je ne peux vraiment pas y croire — mais c'est la seule chose qui me paraisse épouvantable à propos du temps.

« Ma femme savait chanter d'une voix si haute et si claire. »

Est-ce que je lui chante : *Car tel est l'amour des matelots?* — la plus belle chanson qui soit.

« Schubert », dit-il. Comment? « Elle chantait comme Schubert composait. » *Car tel est l'amour des matelots...* — c'est peut-être de la crotte, une chanson comme ça, hein? Qu'est-ce que ça veut dire, Schubert? Qu'est-ce qu'il raconte? *Car tel est* — ça, au moins, c'est du vécu, comme dit ma mère quand elle voit de bons films.

J'ai fait son lit.

Sur la table de nuit en forme de marmite japonaise, il y a des livres. Baudelaire. Du français, sûrement. Mais c'est en allemand. *Lesbos, terre des nuits chaudes et langoureuses...* Ça, je suis au courant, ça me dit quelque chose — c'est carrément obscène. Nuits langoureuses! Lesbos! Les hommes, et aussi Berlin, ça vous donne un sacré aperçu sur la question!

Il y a des boîtes où des femmes comme ça, à cols raides et à cravates, sont assises, terriblement fières d'être perverses, comme si ce genre de chose n'était pas une faculté naturelle à laquelle personne ne peut rien. Moi, j'ai toujours dit à Thérèse : Je me réjouis d'avoir ces grands yeux largement fendus et puis ce regard, mais c'est une qualité qui m'a été donnée, c'est pourquoi je ne vais pas en tirer vanité. Mais les perverses, elles, tirent

vanité de ce qu'elles sont. Dans la rue de Mar-
bourg, il y a aussi un truc dans ce genre. Certains
hommes aiment ça. Est-ce que ce serait son cas?
Moi, pas. Et je n'ai pas eu tellement de plaisir non
plus à lire le Van der Velde, quand Thérèse me
l'a prêté. Écrites, ces choses-là deviennent tout de
suite dégueulasses.

Lesbos, terre... — Dieu merci, il n'y a pas d'il-
lustrations.

Une bouteille d'eau de lavande sur la table de
nuit. Un drap de lit qui n'a pas bougé. A-t-il donc
un sommeil si paisible? Des serviettes toutes
propres et de la pâte dentifrice. Est-ce que ça me
répugnerait, de me laver les dents avec sa brosse?

Qu'est-ce que je vais faire à manger, aujour-
d'hui? De toute façon, il reste encore de l'oie. Il
faut bien la rentabiliser. Une maison doit être
gérée rationnellement. Comme dessert, je vais
faire des pommes au four et une soupe au bouillon
Kub en entrée. Les cuillers à soupe sont authen-
tiques. Elles ont un poinçon.

Je manipule l'aspirateur — ssss — je suis une
tornade. Sans le faire exprès, je bousille le portrait
de la bonne femme. Ils avaient tant de mots en
commun, paraît-il — et puis il y a là des tas de
petits souvenirs tendres, sans importance mais
qui existent. Je dis : « Elle est partie, maintenant
il faut que vous pensiez à autre chose.

— Plus rien ne me fait plaisir. Pour qui est-ce

que je vis? Pour qui est-ce que je travaille?

— Vous n'avez sans doute encore jamais connu de sales moments?

— Si, ça m'est arrivé. » Ouais. J'ai préféré ne pas lui demander ce qu'il entendait par « sales moments ». Il y a des gens qui pleurent à chaudes larmes, tellement ils s'apitoient sur eux-mêmes, quand il leur arrive par hasard, à trois heures de l'après-midi, de ne pas avoir encore eu de repas chaud.

Je fais une tentative. « Qu'est-ce que vous êtes donc tout le temps en train d'écrire? me demande-t-il.

— Je prends des notes sur ce que je vis.

— Ah bon. » Pas un mot de plus. Il pourrait bien me poser davantage de questions.

Il me raconte comment il a fait la connaissance de sa femme, et qu'elle a une ambition terrible, il lui fallait une société très étendue, et puis il y avait son art, elle devenait de jour en jour plus agitée, plus folle, avec une peur insensée de devenir vieille sans rien avoir été d'autre que la femme d'un homme, dans un petit appartement. Sans autonomie, sans rien créer. Ils avaient passé une soirée, tous les deux, chez une Espagnole, une danseuse qui s'appelait Argentina, et après ça elle avait été malade de nostalgie et de jalousie pendant trois jours, au point de garder le lit. Au début, elle ne voulait pas de lui, parce qu'elle était dans une très mauvaise passe et qu'elle voulait s'en tirer par ses propres moyens, en restant indépendante. Une drôle de comédie, qu'elle a dû lui jouer. Un type comme ça, ça gobe tout. Le mener en bateau, ça ne procure même pas de plaisir — il croit tout. Moi, il me faut des types d'un tout autre genre, celui-là, c'est trop facile — parce que j'ai perfectionné ma faculté de mentir, j'en ai fait un art. Il ne me pose plus la moindre question. Mais il a remarqué que j'avais fait le ménage à fond. Demain, je laverai les rideaux à cause de toute cette fumée.

« Monsieur Schlappweisser, dis-je à l'homme qui vend du poisson dans la rue, deux harengs pleins, s'il vous plaît — avec les œufs. » J'en fais du caviar. Le caviar, c'est un excitant. Il a des harengs monstrueux, ce poissonnier qui vend dans la rue, et puis c'est un homme séduisant.

« Le fin du fin, jeune madame, extra, extra, extra, votre époux va se régaler. » Il m'a raconté un jour que sa mère avait une blessure à une jambe.

« Au fait, comment va madame votre mère, M. Schlappweisser?

— Merci de me poser la question, chère madame.

— Et les affaires, ça marche? ou bien est-ce que vous avez à souffrir des récentes lois?

— Ah, l'époque est vraiment merd...

— Donnez-moi aussi un flet, s'il vous plaît. » Je lui coupe la parole pour ne pas avoir à entendre ce mot répugnant.

Je m'en vais avec mon petit-gris et mes bestiaux fumés, dont deux ont le ventre plein de caviar, je descends la Kaiserallee, et voilà qu'un type m'accoste carrément. « Vous vous trompez totalement sur mon compte », lui dis-je. Pas un mot de plus. D'un geste princier de la main, je coupe court. Il ne faut pas que j'oublie, demain sans faute, de porter ses chaussures noires au cordonnier.

J'ai fait une autre tentative. J'ai posé mon cahier sur la table du petit déjeuner et à huit heures je fais semblant de dormir. Il y jette un coup d'œil — j'entends mon sang battre dans mes genoux — puis le repousse et ne le regarde plus du tout. Je trouve ça extraordinairement civilisé de sa part. A moins que ce soit purement et simplement par manque d'intérêt?

« Vous êtes si gentille, mademoiselle Doris, comment ai-je mérité ça, est-ce que je peux faire quelque chose pour vous, est-ce que vous avez un souhait que je puisse exaucer? » Mais que désirer de plus?

« Vous avez l'air très fatigué, lui dis-je, ce soir, on se couche à dix heures.

— Ah, gémit-il, ce n'est pas pour ça que je m'endormirai. »

Alors je me mets en colère : « N'allez pas vous inventer des faiblesses, qu'est-ce que c'est que ce mensonge, prétendre que vous n'arrivez jamais à dormir à cause de vos soucis terribles et de tout le reste, quand moi, de la pièce à côté, je vous entends très distinctement ronfler chaque nuit! » Je voudrais lui donner mon livre — je veux être considérée comme un être humain véritable — il faut qu'il lise mon livre — je travaille pour lui, je cuisine pour lui, mais je suis Doris — Doris, c'est pas de la crotte. Je ne veux pas être une oie blanche, je veux être ici pour de vrai, en tant que Doris, et non pas en tant que produit imbécile et civilisé de l'imagination de M. Mousse Verte.

Pris cinq livres. Petit à petit, mes charmes renaissent.

Il ne me caresse plus jamais la tête.

J'ai beaucoup à faire, c'est moi qui dirige toute la maison. Ensuite, il faut que nous prenions l'air, alors nous allons nous promener une heure côte à côte, après le dîner. C'est le soir et plus une seule porte cochère n'est ouverte. Il y a quelques étoiles, çà et là, et un grand calme dans tout mon corps. Dans des rues distinguées, les gens promènent leurs chiens le long des arbres. C'est très beau. Nous nous disons des choses. Ou parfois rien et c'est encore mieux. Je connais alors des minutes qui ne me coûtent aucun effort. Il déteste la guerre. Je lui parle du collier aux perles de couleur assorties avec tellement de goût, qui m'a été offert par un homme qu'ils ont rendu aveugle et vieux, avec leur guerre. De son côté, il me parle d'un petit éclat d'obus qui se balade dans son épaule. « Vous sentez? — ici. » Et il pose ma main sur sa chemise, sous un grand arbre qui a perdu ses feuilles. C'est très intéressant. « Ça vous fait mal? — Non. »

Il y a des vieux avec des allumettes et des lacets de chaussures — des tas, des tas, des tas — dans la rue, partout des putains, des jeunes gens et des voix affamées. Nous donnons dix pfennigs à chacun, c'est si peu, parfois je perds toute envie d'être heureuse et de le montrer. Ensuite, nous rentrons à la maison. Certaines fois, on a comme le désir de caresser un réverbère.

« Faites attention, dit-il, il y a une marche.

— Fermez la bouche à ce coin de rue, il y a du courant d'air », dis-je.

Maintenant, c'est moi qui prépare le café le matin, ce qui fait que je me lève aussi. C'était tout de même bien gentil de sa part, de mettre toujours la housse crochetée sur la cafetière. Je regarde l'heure — autrefois j'avais une montre que m'avait donnée Gustav Mooskopf, elle est fichue — d'ailleurs je n'en ai pas besoin. Mais je veux qu'il sache, et il faut qu'il sache, qui je suis. Demain, je lui donnerai mon livre.

Le matin, il cire ses chaussures dans la cuisine et il cire toujours les miennes en même temps. A-t-il donc tellement aimé sa femme? Car tout ce que l'on vit auprès d'un homme, ce ne sont jamais que les traces de la dernière femme qu'il a eue.

J'ai lavé ses peignes, reprisé trois paires de chaussettes et jeté un coup d'œil dans le drôle de livre sur la table de nuit. *Je vois s'épanouir vos passions novices; Sombres ou lumineux, je vis vos jours perdus; Mon cœur multiplié jouit de tous vos vices; Mon âme resplendit de toutes vos vertus...* Personne ne peut rien y comprendre, mais ça rime.

Je n'arrive pas à m'imaginer qu'un jour je pourrais l'appeler Ernst.

Ça y est, c'est fait. Je lui ai donné mon livre. Nous sommes assis à la table couverte d'une nappe jaune et blanche, luisante comme si on l'avait frottée avec l'ongle du pouce, et décorée d'un motif — « Est-ce que vous aimez les motifs? — s'il vous plaît, ne buvez pas de cognac. »

J'aimerais bien me remettre un peu de poudre, ça me donnerait du courage. Je peux me maquiller les lèvres en toute tranquillité, le rouge tiendra sans problème jusqu'à demain matin. Jusqu'à ce que je l'enlève en faisant ma toilette. Parfois ça me fait tout drôle de sentir mes bras si vides, une sensation franchement désagréable. Mais ce n'est vraiment pas important.

« Est-ce que nous mettons la radio, un poste étranger?... Ma femme, elle n'a aimé aucun homme avant moi.

— Vous, s'il vous plaît, taisez-vous. Ça, ça regarde votre femme, vous êtes une brute, vous êtes, vous — vous êtes comme tous les autres — c'est dégoûtant — vous êtes un pilier de bar. » Elles

203

sont assises là, comme des poules plumées — pendant un instant, je me sens devenir amie avec sa femme, contre lui. Je ne peux pas expliquer tout ça — comment dire? Comment dire?

« Vous pouvez parler de votre amour, parler de vos sentiments, parler de vos cochonneries — mais, je vous en prie, vous n'avez pas le droit de parler de l'amour d'une autre personne, vous n'en avez pas le droit. » Voilà ce que je lui ai dit.

Il s'est mis à rire. « C'est simplement que je suis si content quand je peux parler d'elle. » Serais-je pour lui une sorte de Thérèse? J'en ai plein le dos, de sa femme. C'est Thérèse qui voulait toujours que je lui parle de mes hommes. Ça fait tout de même une différence.

Nous sommes donc assis. Nous rions, de temps en temps, il y a de la musique à la radio, et puis ce motif jaune. « Est-ce que vous avez déjà connu un type aussi ennuyeux que moi, mademoiselle Doris? » Pourquoi dit-il « mademoiselle Doris » certaines fois et pas les autres?

« J'ai déjà connu toutes sortes d'hommes.
— Allons!
— Vous voulez lire mon livre?
— Voulez-vous me le montrer?
— Oui. »

Me voilà assise sur ce qui est mon lit. Quelqu'un tourne des pages dans mes entrailles. Je me sens très mal. Comme un ballon qu'on a trop rempli d'air. Je fume une cigarette — dans une seconde je vais tomber dans les pommes — ses cheveux pendent sous la lampe, ils ne sont pas vraiment blonds parce que ce sont des cheveux d'homme — Tilli lave toujours les siens avec de la camomille. « S'il vous plaît, ne lisez pas les dernières pages! » Il continue à feuilleter. J'ai peur de voir son visage — si je n'avais pas — « S'il vous plaît, arrêtez-vous quand vous arriverez au Nouvel An » — ma voix roule de ma bouche — *Sombres ou lumineux je vis vos jours perdus* — où est-ce qu'il en est, maintenant? Et puis ça m'est égal. C'est moi qui ai voulu que les choses se passent comme ça — ça m'est complètement égal — dommage que je ne puisse pas voir son visage — eh bien oui, il faut malheureusement que vous quittiez maintenant mon irréprochable demeure — dans ce cas, j'emporte toutes les cuillers d'argent avec un poinçon. Demain, je voulais faire des rognons grillés — au mot « rognons », ça y est, je fonds en larmes. Dieu merci, avec l'Onyx je n'ai pas vraiment — ça en fait toujours un de moins. Avec La Lune Rouge non plus — mais j'ai volé les chemises. Eh bien, qu'il le sache. Les seuls moments que j'aurais bien aimé cacher en collant les pages, ce sont ceux où je me suis sentie écrasée de tristesse. Il y a des moments où j'ai été une brute — bon, très bien. Mais ceux où j'ai été autrement, comme je viens de dire, c'est tellement désagréable, j'ai l'impression qu'on me perce un trou dans le ventre — mon visage gonfle et devient rouge comme une tomate — je ne comprends vraiment pas comment on peut écrire des livres qui vont être lus par la terre entière — arrêtez-vous, je vous en prie, arrêtez-vous — « Est-ce que vous en êtes bientôt au Nouvel An ? — s'il vous plaît, est-ce que vous en êtes bientôt au Nou... — mais dites quelque chose — est-ce que vous en êtes...

— Un instant », dit-il.

J'ai sous ma semelle gauche une piqûre de puce qui me démange affreusement, si seulement je pouvais retirer ma chaussure — c'est toujours précisément aux endroits où quelqu'un de bien élevé ne peut pas se gratter qu'elles vont piquer, les vaches. La semelle gauche peut encore aller. Est-ce que vous en êtes bientôt au Nouvel An ? — de l'ammoniaque, c'est ça qui me ferait du bien — est-ce qu'il y a de l'ammoniaque dans la maison ? — nom d'une pipe, voilà que ça recommence !

« Chère petite Doris, vous ne seriez pas par hasard en train de pleurer ?

— Ne vous faites pas des illusions de ce genre, monsieur, d'accord ?

— Bon, je suis content que vous soyez venue me voir juste au bon moment », dit-il.

Mes enfants, quelle merveille, quelle grandiose musique à la radio !

« Voulez-vous que nous fassions encore une promenade d'une demi-heure, mademoiselle Doris ?

— Oui.

— Prenez garde, Doris, il y a une marche.

— Fermez la bouche à ce coin de rue, s'il vous plaît, il y a du courant d'air. » Contre un grand arbre sans feuilles, un fox-terrier lève la patte. Ah!

Nous avons eu une conversation. Est-ce que les hommes qui travaillent ont plus de moralité que ceux qui ne travaillent pas?

« Vous savez, mademoiselle Doris, nous allons renvoyer votre manteau de fourrure, nous ferons en sorte que vous ayez des papiers et puis nous vous chercherons du travail. »

Je n'y songe absolument pas. Comme si les gens de ma sorte arrivaient à quelque chose par le travail, alors que je n'ai pas d'instruction, que je ne connais aucune langue étrangère — à part *Olala* —, que je n'ai pas fait d'école supérieure, ni rien. D'ailleurs, je ne comprends rien à l'argent étranger, je ne connais rien aux opéras ni à tout ce qui s'ensuit. Je n'ai passé aucun examen. Donc pas la moindre perspective de gagner plus de cent vingt marks d'une façon honnête — et puis taper, toujours taper, document après document, en s'ennuyant mortellement, sans être soutenu par une volonté personnelle, sans prendre aucun risque de gagner ou de perdre. Rien que ces crampes, qui n'arrêtent pas de revenir, à cause des virgules, des mots étrangers, et de tout. On se donne du mal pour apprendre — mais il y a tant et tant de choses que ça vous écrase complètement, d'ailleurs à moi, ça ne me rentre pas dans la tête, tout se met à tourner. On ne peut demander d'aide à personne et un professeur, ça coûte un argent fou. On touche cent vingt marks, là-dessus il y a des retenues, et puis ce qu'il faut donner aux parents et ce dont on a besoin pour vivre. On ne vaut peut-être pas davantage, ce qui n'empêche qu'on a peine à s'en contenter. On voudrait avoir aussi des robes un peu mignonnes, parce que sinon, on est encore plus une rien-du-tout. On veut de temps en temps aller dans un café avec de la musique et déguster une pêche melba de luxe, dans une coupe raffinée — et tout ça ne se fait pas tout seul, on a de nouveau besoin du secours de la Grosse Industrie, alors autant faire le trottoir. Au moins, ça ne fait pas des journées de huit heures.

Si on bénéficie d'une chance exceptionnelle, on devient comme Thérèse. On reste à la même place, on épargne, on mange peu. On tombe amoureuse. Alors on prend son livret de caisse d'épargne et on s'achète des robes pour être belle, parce qu'on veut lui plaire, à ce type qui est mieux que vous. Et, par amour, on n'accepte pas d'argent de lui, pour qu'il n'aille pas s'imaginer des choses. Alors il y a comme ça une période où, la nuit, on est avec lui — amoureuse et tout et tout — et puis à huit heures on se retrouve au bureau. On n'a plus vingt ans et, entre le travail et l'amour, on a le visage qui s'esquinte complètement, parce que l'être humain a besoin de sommeil. Naturellement il est marié. Mais il vous aime, si bien que ça vous est égal. Cent fois on en finit, et puis on se remet à attendre, une attente terrible — je t'en prie, reviens, tout ça est sans importance, reviens, je t'en supplie, et on achète des crèmes hors de prix. On est accablée de fatigue. Sa femme dort, dans sa maison, l'âme parfois soucieuse, mais elle peut dormir tout son soûl, et elle reçoit suffisamment d'argent, parce qu'il a mauvaise conscience et il n'y a rien de tel pour les rendre généreux. La chambre de Thérèse est moche et froide, son appartement à elle est chaud et joli. Elle pleure beaucoup, à cause de ses nerfs, et ça un homme en a vite marre — « Ma chère enfant, il faut nous séparer, je suis en train de ruiner ta vie, mieux vaut te laisser tes chances, je suis dévoré de chagrin mais je dois m'en aller, tu trouveras peut-être un homme à épouser, tu es encore jolie. » « Encore »... un mot à vous faire crever. Au revoir — allons, allons — les robes sont passées de mode, on n'en achète pas d'autres, on se remet à manger peu et à épargner. Et, pleine d'humilité, on sourit au chef — un type qu'on devrait haïr, même s'il est bon, parce qu'il peut vous mettre à la porte.

Et on se retrouve vieille, à un âge où celles qui sont des vedettes, avec de l'hermine, sont encore loin de l'être. On a une amie Doris, qui vit des aventures insensées, jusqu'à ce qu'elle devienne à son tour une Thérèse. Voilà le sort de Thérèse, et de beaucoup d'autres, je le sais maintenant. Moi, je ne mange pas de ce pain-là, et vous pouvez bien tous aller... Une putain a tout de même une vie plus exaltante, elle est après tout son propre commerce.

« Cher Monsieur Ernst, je ne veux pas travailler, je ne veux pas — s'il vous plaît, je veux bien laver les rideaux, battre les tapis, je veux bien cirer nos chaussures et le plancher, et puis faire la cuisine — j'aime tant cuisiner, pour moi c'est une vraie aventure, parce que je me régale et que je vois votre peau, qui est comme du cuir, devenir rose — et puis quand je fais ce genre de chose ça me procure comme un sentiment de supériorité. Je veux bien faire n'importe quoi, mais je ne veux pas travailler.

— Mais moi, je travaille bien, mademoiselle Doris.

— Vous, vous avez fait une école supérieure, monsieur Ernst, et ceux qui sont vos parents aussi. Vous avez des livres sur votre table de nuit, de l'instruction, et la compréhension des choses auxquelles vous avez affaire, et ça vous plaît sans jamais vous coûter d'argent, ou alors si peu, et vous y trouvez de la joie, du plaisir. Tandis que nos plaisirs, à Thérèse et à moi, il faut que nous les achetions, que nous les payions avec de l'argent.

210

Je connais aussi des Lippi Wiesel, qui écrivent des livres, qui tiennent des discours et s'émerveillent sur leur propre personne, même s'ils n'ont pas d'argent. Mais dites-moi un peu, s'il vous plaît, ce que je pourrais bien trouver à admirer en moi? Je ne veux pas travailler.

— Mais si ça vous fait plaisir, de tenir une maison?

— Tout ça, je le fais ici, oui, ça m'intéresse que ça ne vous coûte rien, c'est tout à fait autre chose. Mais s'il fallait que j'aille travailler comme cuisinière, comme bonne — chez des enfants Onyx — madame est servie — madame — mon Dieu, on risque de se faire mettre à la porte, il faut ramper derrière elle, si bien qu'on ne peut pas s'empêcher de la haïr — on ne peut pas s'empêcher de haïr tous ceux qui peuvent vous mettre à la porte, même s'ils sont bons, parce qu'on travaille pour eux et non pas avec eux.

— Pourtant, mademoiselle Doris, vous travaillez bien pour moi, quand vous me préparez à manger, quand vous lavez mes rideaux.

— Je travaille avec vous parce que j'y trouve mon plaisir et pas par peur de perdre mes moyens de subsistance. D'ailleurs, je ne travaille pas, je le fais, c'est tout. » Laissez-moi donc tranquille avec vos conversations idiotes, je ne veux pas travailler et je veux garder mon petit-gris.

Il m'a rapporté un foulard en soie naturelle avec

des motifs extraordinaires. « Je me suis dit que ça vous ferait plaisir, je me suis dit que ça irait très bien avec votre robe marron. » Comme il est bon avec moi.

Comme il est correct avec moi.

Ma chère petite Doris — ma chère petite Doris — ma chère petite Doris — c'est comme ça qu'on en arrive à composer une nouvelle chanson, qui devient un refrain à la mode.

« Est-ce que l'éclat d'obus se promène toujours dans votre épaule, monsieur...

— Appelez-moi tout simplement Ernst.

— Ern... », je ne peux pas. J'imagine que si ma bouche était posée sur cet éclat d'obus, j'y arriverais peut-être.

« Vous êtes quelqu'un de bien, mademoiselle Doris. » C'est lui qui m'a dit ça. Pour une fois, je peux tout de même croire ce qu'un homme me dit, non?

« Vous savez, monsieur — Ernst — le linoléum dans votre cabinet de travail — je l'ai ciré aujourd'hui, ça a un côté pratique parce que ça n'accroche pas la poussière, mais c'est très froid.

— A votre avis, nous devrions y mettre un tapis?

— Vous croyez que ce n'est pas au-dessus de nos moyens? Dans ce cas, je suis pour.

— Allons voir des tapis. »

Et nous sommes allés, ensemble, voir des tapis,

j'ai eu la permission d'aller le chercher à son bureau, il a posé ses doigts sur mon bras devant ses collègues, ouvertement, officiellement. Il ne faisait même pas complètement nuit. Je l'aime. Pas d'une certaine façon — mais d'une autre.

Et puis peut-être des deux façons, après tout. Je veux dire : pour ce qui est de l'aimer. Ça me paraît si drôle, parfois. Mon cher petit-gris. Ne vous occupez pas de mes affaires privées, je vous en prie, monsieur Mousse Verte. Petit-gris, tu resteras là. Est-ce qu'il ne me trouve pas tout simplement affreuse? Moi, ce qui s'appelle moi, ne veut surtout pas vouloir, mais que lui veuille, ça je le voudrais bien. Je me fais l'effet d'être tellement bête, à me regarder comme ça tout le temps dans la glace. Elle, elle avait de longues jambes. Mais moi aussi. Et ils avaient tant de choses en commun — mais nos promenades, avec les chiens sous les arbres, les étoiles et cet éclat d'obus qui se balade — ce n'est tout de même pas rien, non? Et cette oie, qui nous a duré si longtemps. Une oie qu'on a en commun, comme ça, est-ce que ça compte pour du beurre? Quand par-dessus le marché elle se conserve aussi longtemps, sans qu'il y en ait la moindre miette qui se mette à sentir mauvais? Et lui qui continue à parler de sa femme, ça n'aura donc jamais de fin? D'ailleurs, qu'est-ce que ça veut dire : blond? Ce n'est jamais qu'une couleur.

213

Et ce Schubert, ce Baudelaire — *car tel est l'amour des matelots...*

Sa peau me paraît de plus en plus jaune, comme si des araignées couraient dessus, c'est répugnant — vraiment jaune, avec du gris dedans. Est-ce que de la véritable compote de mirabelles ne pourrait pas lui faire du bien? Pourquoi toutes les blagues que je connais sont-elles si affreusement inconvenantes qu'une femme absolument convenable et qui se trouve par-dessus le marché dans ce contexte jaune et plus que convenable, ne peut vraiment pas les raconter?

Embrassé ma main. Ma main à moi. Lui. Comme ça, sans façons. J'avais laissé des fleurs sur la table de la salle à manger. Alors lui. Ma main.

En fait, il arrive qu'on regrette, certaines nuits, de dormir seule. Mais à part ça je vais bien.

Je veux bien tout faire, tout, absolument tout, mais je ne veux pas travailler.

Une lettre. Mon Dieu, une lettre est arrivée. C'est à dix heures qu'arrive le courrier. Je reconnais les enveloppes vertes qui contiennent de la réclame pour des blaireaux, pour toutes sortes d'appareils, pour du vin du Rhin, et ces billets gratuits qui sont des attrape-nigauds, parce qu'après, que ce soit le théâtre ou autre chose, il faut encore payer. En ce qui nous concerne, nous avons eu notre content de théâtre, merci bien. Mais cette enveloppe-là est blanche, vulgairement cachetée, et c'est ce qui m'a donné des soupçons. Quel est cet abruti qui écrit sans machine à écrire?

« Doris, je vous suis tellement reconnaissant de votre présence ici! » Il m'a dit ça hier. L'appartement est à moi, les rideaux sont à moi, la cuisine que je fais pour lui est à moi, sa peau qui ressemble à du cuir est à moi. Toi — tu es à moi — mais pas à cause de l'argent et pour coucher — je ne mens pas, ce n'est pas un mensonge quand je te dis : deviens chômeur, je t'en supplie. Je continuerai à faire la cuisine — avec toi — je m'occuperai de tout, je me procurerai de l'argent, je ferai des ménages, j'irai promener des enfants Onyx dans des parcs et sur des berges jonchées de feuilles mortes, je taperai à la machine, ça ne sera pas du travail — je ferai tout ça pour nous — deviens chômeur — si seulement... Il y a là une enveloppe blanche, rébarbative et qui éveille mes soupçons — je l'ouvre, c'est naturel puisque je suis la maîtresse de maison.

Voici ce qu'elle contient :

« Petit Ernst chéri — je t'ai fait du mal, j'ai été dure avec toi. Tu ne pourras plus m'aimer. Mais peut-être qu'un jour viendra où tu cesseras de m'en vouloir. Je voudrais tant t'expliquer : regarde, toute ma vie avant de te connaître n'a été qu'une lutte continuelle, un va-et-vient constant entre le succès et l'échec, une attente impatiente du lendemain, une alternance de moments de bonne humeur et de tristesse. Toujours il se passait quelque chose — et quand par hasard il ne se passait rien, on croyait dur comme fer que le lendemain ou la semaine suivante un événement extraordinaire et splendide se produirait.

Et puis le travail à l'école de danse — comme on était heureux quand on avait progressé un tout petit peu, comme on se sentait triste, désespéré, les fois où on avait l'impression de piétiner.

Comme c'était beau de marcher dans les rues — de capter au passage les mots, les gestes d'un passant, un rayon de soleil sur un pot de géranium — ah, ces mille petites choses qui s'offrent comme ça, dans la rue, elles se transforment dans votre tête en une musique qui irradie ensuite dans tout le corps — et qui vous remplit d'émotion, vous donne envie de l'exprimer. (Sais-tu qu'une fois j'ai eu une envie folle de danser la grande courbe, illuminée de bleu, du U qui signale la station de métro ?)

Et puis ensuite, de nouveau des déceptions, cette peur de ne jamais atteindre le but et un peu de lassitude les jours où l'argent suffisait tout juste à payer un thé léger et des petits pains secs. Non, mon Ernst — elle n'était pas toujours belle, ma vie, et de loin — mais elle était pleine de couleurs, vivante et variée.

C'est alors que vint un de ces printemps tocards,

prodigieusement doux et moelleux, qui vous rendent désespérément mélancolique et seul quand on n'a personne à aimer. Et puis soudain, tu t'es trouvé là, et plus rien d'autre n'a eu d'importance que toi et notre amour. J'étais tellement heureuse, je me sentais tellement protégée par ta chère bonté. Quand nous nous sommes mariés, j'étais fière et joyeuse de pouvoir te sacrifier des projets et un métier.

Mais je n'ai pas pu tenir le coup. La première année a été douce et belle, la seconde, j'ai voulu de toutes mes forces la trouver douce et belle aussi et je me suis un petit peu menti à moi-même. La troisième année, j'ai lutté consciemment et j'ai serré les dents. La quatrième année, enfin — mon Ernst, j'ai cru devenir folle, j'étais malade de nostalgie quand je pensais à mon thé léger et à mes petits pains secs, à tous ces espoirs, à cette attente, cette possibilité que j'avais eue de créer quelque chose par moi-même. Et puis cette peur de ne plus rien connaître d'autre que ces jours tranquilles, où rien ne se passe — jusqu'à la fin de ma vie. Cette peur de vieillir, d'avoir raté quelque chose, et qu'il soit trop tard. Et comme tu étais bon pour moi et que tu faisais tout ton possible, tu ne comprenais tout simplement pas que j'étais malheureuse. Moi-même, d'ailleurs, je me faisais l'effet d'une idiote, à n'être qu'une variante de l'éternelle « femme incomprise ».

C'est que j'avais été trop longtemps autonome, j'avais trop longtemps vécu avec un métier que j'aimais. Tu aurais peut-être pu m'aider, nous aurions dû parler ensemble — c'est la plus grande bêtise que l'on puisse faire, dans un couple, que de se taire pour ne pas blesser l'autre. Ça finit toujours par se détraquer un jour, on accumule trop de choses.

C'est alors que j'ai rencontré — eh bien oui, ensemble nous avons parlé danse et tout d'un coup une idée s'est emparée de moi : aujourd'hui, il n'est peut-être pas encore trop tard — demain il sera certainement trop tard. En outre, j'étais amoureuse de lui. Oui, il y avait cela aussi. Et c'est seulement maintenant que je sais qu'il était effectivement déjà trop tard — c'est seulement maintenant que je sais qu'au fil des ans tu étais devenu plus fort que tout le reste. Je pense beaucoup à toi. Je souhaite vraiment, de tout mon cœur, que tout aille bien pour toi. Tu ne voudras pas m'écrire mais il fallait que tu saches — voilà, maintenant tu en sais bien assez long sur ta

Hanne. »

C'est ça, les femmes. J'ai caché la lettre sous le tapis de liège. Et comme une lettre est bien évidemment écrite par celui qui l'envoie, j'ai caché l'expéditrice avec, sous le tapis de liège. Je suis terriblement agitée.

Je veux tout faire pour toi, pour vous, très cher, je veux tout faire pour toi. Devenez donc chômeur, je vous en prie.

Nous sommes allés nous asseoir ensemble dans un cinéma, pour voir un film où il était question de jeunes filles en uniforme. C'étaient des jeunes filles mieux que moi, mais il leur arrivait la même chose. On aime quelqu'un et parfois ça vous fait pleurer, ça vous donne un nez tout rouge. On aime quelqu'un — il ne faut pas chercher à comprendre, il peut s'agir d'un homme, d'une femme ou du Bon Dieu, ça n'a pas la moindre importance.

Nous étions dans l'obscurité totale — il ne prend donc pas ma main? Je la pose tout près de lui — il ne la prend pas — je respire l'odeur de ses cheveux — où se trouve en ce moment l'éclat d'obus baladeur? Est-ce que je suis dans un cinéma ou dans une histoire d'amour? *Car tel est l'amour des matelots...* Je vendrais mon petit-gris, si avec cet argent je pouvais me payer le droit de prendre ses cheveux dans mes mains, longtemps.

Le film m'éloigne de lui, il est si beau. Je pleure. Il y a beaucoup de filles — est-ce que vous me mépriseriez, vous? — vous aussi, vous pleurez. On aime un type d'existence, ou un professeur comme il y en a dans un couvent, ou un Monsieur Mousse Verte, ou soi-même et son avenir — est-ce que je suis donc différente de vous, chères jeunes filles? Il ne prend décidément pas ma main.

« Doris, vous voyez cette jeune fille, à gauche — elle ressemble à ma femme — si seulement je savais où elle est — vous la voyez? » Oui. Elle est sous le tapis de liège.

Bonne nuit, monsieur Mousse Verte — je suis trop fatiguée pour arriver à m'endormir. Je viens de me lever de la table où j'écris et je suis allée à trois reprises marcher sur le tapis de liège, juste à l'endroit où elle se trouve. Comme ça, je l'ai piétinée à mort.

Cher monsieur Mousse Verte, j'ai bu de votre cognac — est-ce que vous me trouvez vraiment affreuse? — est-ce que je n'aurais donc rien à vous offrir? Des yeux bleus. Fatigue. Il me faut une force terrible pour ne pas aller ouvrir la porte qui est blanche et juste à côté. Bonne nuit. Ou plutôt non, pas bonne nuit. Vous, avec vos soucis, vous ronflez tant et plus, tandis que moi, avec mon bonheur, je reste stupidement éveillée.

Ce qu'on appelle un homme possède des sentiments. Ce qu'on appelle un homme sait ce que ça signifie, quand on veut quelqu'un et que ce quelqu'un ne veut pas de vous. C'est une attente chargée d'électricité. Rien à ajouter. Mais ça suffit.

C'est une vie merveilleuse. Ce pourrait être encore plus merveilleux, mais c'est déjà suffisamment merveilleux pour que je n'aie plus grandchose à écrire dans mon livre. Aujourd'hui, il n'a pas parlé de sa femme de toute la soirée. Nous avons dansé dans l'appartement. Mais d'une façon très correcte, loin l'un de l'autre et sans nous serrer. Si j'écris maintenant, c'est simplement parce que nous ne nous sommes pas serrés.

Je me baigne, je me mets de l'eau de lavande et je repasse mes robes. Un rien de rouge sur les lèvres et je me regarde dans la glace : voyons, comment suis-je maintenant? J'ai fait une petite expérience en m'asseyant dans un café, et j'ai produit un effet bœuf, d'ailleurs c'est toujours comme ça, les offres vous tombent dessus au moment où on n'en a pas besoin. Une chose qui complique drôlement la vie c'est que, quand on aime vraiment bien quelqu'un, on n'a aucune envie des autres, ça vous dégoûte complètement et ça ne change rien. D'ailleurs, celui-là n'est pas du tout mon type.

Je suis légèrement soûle — je veux être toujours une joie pour lui et qu'il s'en rende compte, mais qu'il ne se rende pas compte que je veux qu'il s'en rende compte. *Vienne, Vienne, avec toi je suis si bien* — nous étions assis, on entendait cette chanson à la radio. Ah, c'était si beau. Ce sont des choses qui n'arrivent qu'une fois, qui ne se reproduisent plus — c'est bien trop beau pour — *Vienne, Vienne, avec toi je suis si bien* — Vienne, Vienne, serais-tu une sorte de Rhin — pour qu'on fasse des chansons sur toi — en ce moment je me sens comme un poète, moi aussi je peux faire des rimes — jusqu'à un certain point, naturellement — alors une rime je deviens — *Vienne, Vienne, avec toi je suis si bien* — Mon Dieu, j'ai une de ces cuites — il n'a pas cessé de m'offrir du cognac, je ne supporte pas le cognac — pour retrouver mon état normal, pour me soulager de manière distinguée, il faudrait que j'aille dans la salle de bains, c'est-à-dire que je traverse sa chambre — je ne marche plus très droit et me voilà bien réveillée et en train d'étrenner une nouvelle morale — avoir, au fond de son lit, la même sensation que si on se trouvait sur les chevaux de bois, ce n'est pas exactement le comble de la volupté. Mais, pour parler clairement, ça me répugne de devoir traverser, pour aller vomir, la chambre d'un homme que j'aime. Je préfère donc écrire.

Trouvé et vidé une bouteille d'eau de Seltz — ça va déjà mieux.

Je veux être une joie pour lui et détourner ses pensées de cette femme qui se trouve sous le tapis de liège et qui chante du Schubert. Ce n'est pas simplement en faisant la cuisine que j'y arriverai. Mes pensées veulent que je lui fasse un sacrifice. Ma situation sera en règle : j'aurai mes papiers. Mais voilà qu'il me dit : « Non, Doris, ça ne va pas, on ne peut pas emporter un objet, purement et simplement, il faut bien qu'il y ait un ordre, et cet ordre n'existe que quand il y a des gens pour en protéger d'autres. » Je réfléchis. Il veut parler du petit-gris. Je l'ai volé. Mais maintenant, je l'aime exactement comme Ernst aime sa femme. Il a une fourrure tellement moelleuse, mon petit-gris, et puis il a vécu avec moi des tas d'événements, parfois terribles, ce qui fait que nous avons nous aussi des petites choses en commun, et tout et tout. Si, dans son cœur, Ernst oublie sa femme, alors je veux bien oublier mon petit-gris. Encore que ce ne soit tout de même pas la même chose, parce que sa femme l'a plaqué, ce qui n'est pas le cas de mon petit-gris. C'est moi qui vais plaquer mon petit-gris, et ce sera vraiment vache.

Monsieur Mousse Verte est bon avec moi. Il a lu mon livre, dans lequel je suis une fille qui a fait toutes sortes de choses, si bien qu'on ne peut pas me faire confiance, et pourtant je voudrais tellement — qui peut donc me donner un conseil?

Moi aussi, j'aurais envie de me remettre à danser. Il faudrait que nous y allions ensemble — pendant que je me rendrais aux toilettes, un type m'accosterait — je lui dirais : Mais qu'allez-vous vous imaginer? Je ne suis pas libre! Je suis comme un taxi — êtes-vous libre? — non, je regrette, ne voyez-vous pas que le fanion est rabattu? Je voudrais vivre comme ça, avec le fanion rabattu, pendant très longtemps. Les choses pourraient aller mal pour nous — nous serions ensemble — ne te fais pas de souci, nous sommes deux, nous pouvons en rire — nous trouverons toujours de quoi manger, tu vas voir. Je pourrais même devenir une vedette mais à condition que je le devienne d'abord pour lui. C'est terriblement difficile, tout ça. Peut-être qu'il ferait aussi mon éducation.

Cette fois, je vais le faire — ma mère connaît sûrement l'adresse — j'écris la lettre :

« Chère madame. Un jour, j'ai volé votre petit-gris. Vous allez naturellement être furieuse contre moi. Est-ce que vous l'aimiez beaucoup, chère madame? Parce que moi, je l'aime beaucoup. J'ai plusieurs fois grimpé des échelons grâce à lui, il a été pour moi une sorte d'école supérieure, il a fait de moi une vraie dame, une comédienne, et même un commencement de vedette. Et puis je l'aime aussi simplement parce qu'il est moelleux, comme un homme qui aurait une chevelure soyeuse sur tout le corps. Et doux, et bon. J'ai eu aussi toutes sortes de problèmes à cause de lui, croyez-moi. J'ai même été sur le point de faire le trottoir, et une fille convenable et qui sait se tenir ne doit jamais en arriver là. J'ai l'intention de vous rendre le petit-gris, il ne lui est rien arrivé, je l'ai toujours enlevé à temps, et mon amie Tilli en a pris soin également. Je veux bien croire qu'on ne doit pas voler, à cause de l'ordre et de tout ça. Si j'avais connu votre visage, et s'il m'avait plu, je ne vous aurais pas causé ce chagrin, ou alors ça m'aurait fait de la peine. Mais je ne connais pas votre visage, disons simplement que je m'imagine quelque chose de gros. Si bien que je n'ai pas mauvaise conscience, c'est seulement à cause de l'ordre, de mes papiers, à cause du sacrifice que je dois faire, parce que je veux être comme un taxi, et puis par amour. Peut-être que vous avez encore d'autres fourrures, et même une hermine, ça arrive toujours à celles qui ne le méritent pas. Je vous en prie, soyez bonne pour mon petit-gris — faites qu'il n'ait pas à souffrir si vous le donnez à désinfecter. Pour ma part, je vous affirme qu'il pourrait bien me pleuvoir sur la tête des milliers de manteaux de fourrure — avec moi, tout est possible — jamais je n'en aimerai un autre aussi tendrement que j'ai aimé ce petit-gris. Recevez toute ma considération. Votre Doris.

P.S. : J'envoie la lettre et le manteau à ma mère, elle vous les remettra, elle connaît certainement votre adresse étant donné que ce soir-là, au théâtre, vous n'avez sans doute pas manqué de faire un esclandre inoubliable. Si vous portez plainte et que vous me dénoncez à la police, vous n'y gagnerez rien. Pour moi, ce sera un scandale épouvantable et la ruine. C'est pourquoi ça n'aurait aucun sens pour vous de le faire. »

Voilà, c'est une affaire classée.

L'amour est en soi une chose bien fatigante.

Je ne lui ai encore rien dit de cette lettre à la

dame au manteau de fourrure. J'y ai simplement fait une légère allusion :

« Ça va être diablement difficile, monsieur Ernst, vous pouvez peut-être essayer de comprendre que c'est justement aux choses qu'on a volées de sa propre main qu'on s'attache le plus. »

Alors lui : « Mais vous ne voulez tout de même pas être une voleuse, Doris? » Voleuse par-ci, voleuse par-là, c'est un mot bien vulgaire, pourquoi ne me comprend-il donc pas? Nous sommes différents. Nous pourrions peut-être nous embrasser, mais qu'est-ce que ça changerait? Je ne suis pas une voleuse. Pourtant je veux bien croire tout ce qu'il me dit.

« Petite sotte », dit-il. D'accord, ça on le sait déjà. Est-ce qu'il aurait pitié de moi? Ce n'est pas une chose qui favorise la sensualité chez un homme. Je ne voudrais pas faire des tonnes de baratin dans mon livre, mais je me sens toute drôle, et il y a dans ma tête comme un genre de tremblement de terre.

Je me promène dans la rue pour faire mes courses. C'est très beau. Il y a des petites patinoires avec des enfants, une sorte de froid chaud qui rend mon cœur joyeux, des rails, de nombreux magasins, et puis le soleil qui brille. Dans la Bergstrasse, il y a des tas d'étalages et de petites boutiques — M. Schlappweisser et ses harengs pleins — mandarines, oranges, pommes à cuire — de la pâte dentifrice vendue dans la rue — une poste bleue avec des boîtes aux lettres — vingt-cinq pfennigs les quatre bananes, vingt-cinq pfennigs les vraies Canaries! — une boutique avec des petites saucisses — toutes brunes dans l'air si blanc, blanc avec du bleu dedans, comme les décorations des meubles de cuisine — on achète, allons-y ma petite dame, on achète! Celle-là, c'est une collègue, une fille qui est dans un bureau — une collègue qui est aussi pâle qu'un essuie-mains sale — achetez des épingles, un petit paquet d'aiguilles — *Au Prater, les arbres refleurissent...* voilà un type qui a un brassard jaune avec trois points noirs et puis un harmonica — c'est Jim qui joue de l'harmonica — je crois qu'il y a un lien entre ce refrain et la fois où j'ai perdu mon innocence — c'est si loin déjà — *Au Prater, les arbres refleurissent* — Mon Dieu qu'il est vieux! — Monsieur Ernst, si seulement vous veniez ici un jour avec moi. Là, c'est le passage souterrain avec son carrelage jaune, parfois quand on l'emprunte on entend comme un grondement, dans ces cas-là je fais vite à cause de cette sensation que tout va vous tomber sur la tête.

Si tous les deux, nous — on achète, ma petite dame! — les belles semelles de feutre, bien douces! — on achète, allons-y! messieurs-dames! — ça, c'est de la colle, de la colle à porcelaine extra. Des témoignages par-ci, des témoignages par-là — Friedeman, Wilmersdorf, Steglitz, toute la banlieue ouest, ma parole, avec toutes ces recommandations il y a de quoi devenir fou!... Les beaux mimosas, les fleurs les plus robustes, les belles fleurs jaunes, les fleurs de l'hiver, et qui tiennent, qui résisteraient à trois paires de brodequins ferrés — on achète, petite madame, on achète — il y a quelque chose dans une rue comme ça qui fait qu'on s'y sent comme enceinte. Si seulement un jour nous y venions ensemble. Mais c'est seulement pour le matin, une rue comme ça, ça ne vit que le matin — il y a plein d'animation et de gens. Ces gens, qui marchent le matin dans l'air bleu, sont presque tous des chômeurs, sans un sou.

« Cette animation que vous voyez dans la rue, c'est seulement le chômage, disait M. Schlappweisser. Un hareng plein, et avec ça? Les citrons, c'est à côté. Franz, fais attention, la dame a des vues sur tes beaux fruits dorés du Midi. »

Ensuite vient un moment de plaisir — c'est un étalage de saumons que tient le vieux Kreuzstanger, c'est le père du Karl de la salle d'attente, avec qui j'ai toujours été si bonne. Il est exactement aussi gentil et effronté que Karl. Il a une sympathique petite bedaine et un grand tablier blanc de médecin avorteur. C'est toujours chez lui que j'achète du saumon pour Ernst — un saumon d'un rose... — il n'y a pas un seul magasin qui lui vienne à la cheville — « Saluez votre fils de ma part, monsieur Kreuzstanger. — Voici un billet doux du gamin, petite madame, ne le séduisez pas, je vous en prie, le gars a besoin de toutes ses forces pour les affaires, comme nous tous de nos jours. »

Karl m'écrit : « As-tu toujours ton amour-propre? — dans ce cas tu peux aller te faire... »

Toujours des invitations fort peu galantes, auxquelles je réponds aussitôt, de tout mon cœur. J'ai montré la lettre à monsieur Ernst et nous en avons ri ensemble, bien que j'aie un peu honte des grossièretés qu'elle contient.

On peut très bien pleurer tranquillement chacun dans son coin — ce qu'il y a de plus merveilleux, c'est quand on rit ensemble de quelque chose.

Mais ce ne sont pas du tout les mêmes choses que nous trouvons belles.

Je suis toute pleine d'une envie débordante de chanter — *Ça n'arrive qu'une fois, ça vient...* je ne connais pas Tchaikovski — rien que des chansons comme ça, pas non plus Schubert — mais je chante de toute ma peau. Il m'a embrassée dans le cou et il se trouve que c'est chez moi l'endroit le plus sensible. Et tous ces mots merveilleux — ce sont des choses sur lesquelles on ne peut pas réfléchir, ça vous pétille à travers le corps comme de l'eau minérale. Je me sens en miettes et d'un autre côté c'est un peu comme une maladie, avec de la fièvre et des maux de ventre — Doris, chère petite fille, Doris, ma petite — des mots comme ça, ça vous traverse de part en part.

Et pourtant, cette fois encore, rien. Il ne faut pas que je laisse voir que j'en ai envie, il n'y aurait rien de tel pour l'effaroucher — mais — ah mon Dieu — je voudrais chanter, je voudrais danser — à la conquête du monde — *Elle est à moi, la plus belle des femmes — elle est à moi, oui, elle...*

Il me demande si je n'ai jamais eu peur d'attraper une maladie ou un enfant, car j'ai couru des dangers terribles. Mon Dieu, comme si on pouvait penser à tout. Et puis si on commence, il y a de quoi devenir fou! Il ne reste qu'à souhaiter avoir de la chance — que faire d'autre? On pourrait aussi, par la même occasion, se mettre à penser à la mort — qu'on ne considère pas non plus comme une chose possible — pas plus que le reste — ce serait exactement pareil. Moi, je ne crois pas que je peux mourir tant que je ne suis pas morte — et alors il sera trop tard, il n'y aura plus rien à espérer — mais jusque-là... eh bien, je vis.

Il m'a embrassée dans le cou, à un endroit précis — c'est ça, vivre. Maintenant je le trouve beau à peindre. Il a un sourire très doux de médecin pour nourrissons. Il a des petits points tout noirs dans les yeux. Quelquefois, j'aurais envie de lui faire un affront, pour pouvoir l'aimer encore davantage — parce qu'alors il montrerait qu'il a de l'honneur en se mettant en colère, ou alors qu'il est distingué, en restant d'une humeur douce — l'un ou l'autre — dans les deux cas ce serait merveilleux. Naturellement, je ne le veux pas pour de vrai.

Notre Père, qui êtes aux cieux, fais qu'à l'intérieur de moi il y ait tant de bonté et de distinction qu'il puisse m'aimer. Je vais lui acheter une cravate, ça je peux le faire. On m'a dit une fois que dans ce domaine j'avais des goûts très masculins. Il y a des cas où ça sert à quelque chose, d'avoir des antécédents. Notre Père, fabrique-moi par un miracle une bonne éducation — le reste, je peux y arriver avec un peu de maquillage. J'ai pensé à une surprise et j'ai peint des tas de bougeoirs en ocre jaune. Un ton très doux, avec des motifs de fleurs ébauchés d'un rouge pâle — j'y ai mis des bougies de couleurs tendres et en grand nombre. Il adore les bougies. Moi, je trouve ça vraiment idiot, il en faut des quantités phénoménales pour que ça puisse remplacer un éclairage électrique. J'aime beaucoup qu'il fasse très clair, sauf quand il m'arrive d'être aussi affreuse que je l'étais il y a quatre semaines. Mais maintenant ce n'est plus le cas. J'ai un teint resplendissant, d'un rose de première classe, et naturel. Demain, je lui ferai la surprise avec, en plus, des vases remplis de cyclamens. C'est que j'ai fait des économies. J'ai pris douloureusement sur moi, je me suis interdit de fumer les dix cigarettes à six pfennigs et je suis allée les vendre à M. Kreuzstanger pour cinq pfennigs. Lui, il les revend en même temps que ses saumons, à six pfennigs. La pièce. Demain, j'allumerai toutes les bougies.

J'avais aussi l'intention de lui broder quelque chose, mais ça n'a pas marché. J'ai un peu démoli le coussin de celle qui est sous le tapis. Il ne s'en est pas rendu compte — c'est ce qui me fait le plus plaisir. Si seulement il a de la patience avec moi — je vais me cultiver — si seulement, pour l'amour du ciel, il veut bien avoir un peu de patience.

Je suis dans un restaurant automatique de Joachimsthaler, qui s'appelle Quick. C'est américain. Tout y est si magnifique, si prospère. Dans une heure, je vais le chercher à son bureau. Je lui ai demandé : « Est-ce que ça ne va pas vous déranger?

— Mais non.

— Vraiment? »

Alors il m'a dit : « Il y a déjà longtemps que je voulais vous demander de venir me chercher, mais je me disais que ça vous donnerait trop de tracas d'aller en ville exprès pour moi. » Il ne se rend pas du tout compte à quel point j'en ai envie. Est-ce que cette façon de ne rien remarquer ne pourrait pas être de l'amour? On n'a vraiment plus aucune assurance quand on aime quelqu'un à ce point. Et comme on a peur de faire quelque chose de travers, on fait toujours tout de travers, c'est inévitable et, par crainte et par amour, on est souvent tout autre qu'on voudrait être — on aimerait bien, pourtant, être quelqu'un de bon, être honnêtement soi-même, sans calculs ni astuces. Éviter toutes les sornettes habituelles, éviter de penser, se montrer seulement gentil et bon. Rien d'autre. Est-ce qu'un homme peut supporter ça? Je veux prendre des risques avec mon amour.

J'ai tout préparé. J'ai posé sur la table la lettre pour la dame au petit-gris et la cravate assortie à son costume gris-bleu. J'ai fait des quantités de reprises à ses chemises, mais je ne vais pas les mettre là avec le reste. Je l'aime tellement à présent que ça m'est bien égal qu'il remarque ou non mes laborieux raccommodages. C'est peut-être ça, l'amour véritable. Ensuite, les cyclamens — des fleurs qui ont l'air un peu gelées — mais c'est mignon. Et puis tous mes bougeoirs peints, avec leurs bougies. Je lui dirai à la porte : Un instant, s'il vous plaît. Je reviendrai les allumer — alors je lui dirai : Je vous en prie. J'ai préparé un repas froid, avec des tomates que j'ai garnies de mes propres mains, elles sont un peu barbouillées de mayonnaise mais infiniment moins chères qu'au magasin. Il y a aussi des quenelles de viande et des petits pains avec des choses dessus, bien arrangées, et sur les côtés du persil qui ne sert à rien et une feuille de salade. Pour faire chic. Qu'est-ce que j'ai donc fait pour mériter d'être si heureuse?

Maintenant, me voilà au Quick — j'ai une folle

passion pour les restaurants automatiques, je me suis pris des crabes et du lard de Westphalie — il y a beaucoup de plats dont c'est surtout le nom qui a bon goût, parce qu'il évoque un endroit lointain, ce genre de chose vous donne toujours, en tant qu'Allemand, une impression de voyager et une espèce de sentiment de supériorité, j'ai connu des hommes qui se sentaient comme soulevés par un coussin invisible placé sous leurs fesses quand ils commandaient ne serait-ce que de la salade italienne, simplement à cause du mot *italienne*. Je n'ai pas réussi à manger mes petits pains, mais un restaurant automatique comme ça, c'est vraiment pour moi l'aspect conte de fées de Berlin. Je suis donc assise toute seule ici, le cœur rempli d'une unique pensée : je vais bientôt rentrer à la maison. Je ne peux m'empêcher de regarder tous les gens qui remplissent ce local et qui se remplissent le ventre — est-ce qu'ils vont eux aussi rentrer chez eux ? Je vous en prie, je n'ai que très peu de temps, je ne vais pas tarder à prendre le chemin de la maison, je suis quelqu'un de tout à fait sérieux et chacune de mes paroles exprime mon amour pour l'homme de ma vie.

J'ai bu un café et je me suis frisé les cheveux auprès de la dame des toilettes. Au cas où. Je lui ai donné vingt pfennigs de pourboire en plus — je le lui dirai. Il m'a donné cinq marks — mais je vais lui en rendre quatre. Sinon, je me fais l'effet de profiter de la force de travail d'un autre. En fait, je ne m'étais encore jamais demandé d'où les hommes tenaient leur argent. On a toujours l'impression qu'ils en ont, tout simplement... Grâce à des transactions et autres choses du même genre. Si bien que ça vous est complètement égal. Mais quand on sait comment un type gagne sa vie, quand on le voit se lever de bonne heure et tout le reste, alors on se met à avoir de la considération pour lui. Merci, mon Dieu — il faut que je m'en aille.

Berlin a neigé. On est tout simplement soûlé. On se réveille, tout est couvert de sucre blanc. Ce n'est que de la neige, livrée gratuitement à domicile. C'est si beau, tout ça, que j'en tremblerais presque. J'ai cru quelquefois que je le dégoûtais. Il y avait donc toutes ces bougies, et puis la lettre à propos de la fourrure. Il m'a dit : « Doris, est-ce que ce n'est pas un peu à cause de moi que vous faites ça, pour le petit-gris? »

Alors je me suis mise en colère : « Bien sûr, à cause de qui d'autre, je me le demande — à cause de cette Mme Pouffiasse, peut-être? » Brusquement, on a senti comme de l'émotion dans l'air, une sorte d'excitation terriblement oppressante, dans ces moments-là on sait jusqu'au fond de ses os que quelque chose est en train de se passer. Tout se met à vaciller.

« Non, a-t-il dit, non, non, non — je vous aime

bien, ma petite. » M'aimer bien, m'aimer bien — M. Ern — je n'arrivais pas à dire son nom — tous les cyclamens me regardaient, c'était comme si l'atmosphère me transperçait. « Écoutez, monsieur — je ne suis pas une oie blanche, je ne vous créerai pas de responsabilités, je me sens pleine de reconnaissance et d'am — eh bien oui — ce ne sera pas la peine de m'épouser, vous pourrez m'oublier de nouveau — mais si vous — oh oui, je vous en prie — vous seriez pour moi la même joie que je voudrais être pour vous. »

Ma bouche prononçait ces mots sur le ton d'une prière pressante, mais mes bras et mon cœur étaient tout faibles, désemparés. Ma voix s'est mise à trembler, je ne pouvais m'empêcher de pleurer, d'ailleurs c'était ce que je voulais, car ce genre de chose incite toujours les hommes à se rapprocher de vous. Alors nous nous sommes consolés l'un l'autre jusqu'à être effroyablement heureux et ce matin nous avons vu la neige quand pour la première fois nous nous sommes réveillés ensemble, tous les deux.

Voilà qui ne suffit certes pas pour que ce soit de l'amour, mais ça y contribue joliment.

Printemps. Ça m'est terriblement désagréable, le 15 il veut m'acheter un manteau. Je vais prendre le moins cher de tous. Jusque-là je garderai mon petit-gris. Sinon, je ne peux pas sortir. Il fait encore assez froid. Il m'a parlé de pays où il y a déjà des fleurs.

Je parle peu. Je fais très attention. Chez une femme c'est différent parce que tout lui devient égal à partir du moment où elle est passionnément amoureuse. Mais, pour un homme, un mot déplacé peut tout démolir. J'ai très peur à cause de mon manque d'éducation. Au début, les rapports érotiques vous rendent complètement étrangers l'un à l'autre. Parce qu'on a commencé par se fréquenter très longtemps sans ça. Alors ça crée une sorte de gêne.

Il m'a apporté tout plein de fleurs. La vie est si belle que pour la première fois elle m'est une sorte de religion. Je ne veux pas dire que je suis pieuse — mais il y a quelque chose de sacré dans le bonheur que j'éprouve.

Maman! Je suis anéantie. Chère Maman. Ça passera. Je ne peux même plus pleurer. Ça s'est passé ce soir — ma main est paralysée — cher livre — maintenant je vais tout déballer. Il m'est arrivé si souvent d'être malheureuse, ça finit toujours par passer. Mais est-ce que ça passera vraiment? Cette torture. Peut-être que je vais me suicider. Mais non, je ne crois pas. Je suis beaucoup trop fatiguée pour le faire et d'ailleurs je n'ai plus aucune envie de m'occuper de moi.

Je suis assise à la gare de la Friedrichstrasse. C'est ici que je suis arrivée, il y a longtemps, avec les hommes d'État, et maintenant c'est ici que je vais en finir — mais non, sapristi, je n'y pense pas du tout. J'ai suffisamment mangé pour tenir trois jours.

Souvent, l'amour physique a pour seul avantage qu'on apprend à se tutoyer — chaque fois ça m'a paru difficile. C'était bien un signe. Ce soir, à sept heures, il m'a embrassée — c'est-à-dire qu'il a embrassé mon bras, très prudemment — avec une forme d'amour qui n'avait plus rien de sensuel. Je me suis tout de suite sentie sur le point de prier — merci mon Dieu, merci — est-ce bien à moi que ça arrive — tant de joie — « Ma chérie » — au fond de moi, la peur — c'est comme ça qu'on m'embrasse? — c'est en quelque sorte une méprise — c'était bien une méprise — « Hanne », a-t-il commencé à dire — « Hanne » — ça m'a littéralement pétrifiée mais je n'ai rien laissé voir. Il y avait en moi un mélange d'amour, de colère et de haine qui me faisait un visage de marbre. Il a fondu en larmes — une vraie crise, comme les déchaînements de la Trapper — je caresse ses cheveux et je dis : Allons! C'est comme ça qu'en quelques minutes on vous fait vieillir de cent ans. Il l'aime tellement. On ne peut rien y faire. Je pourrais comprendre qu'il m'oublie — moi, j'aurais bien oublié pour lui le monde entier. Ma douleur était intense, il ne pouvait plus me faire mal, le nuage doré dans lequel je vivais s'était évaporé d'un coup. D'ailleurs tout était de

238

ma faute. Dans l'amour, un homme bien n'est qu'un enfant, et la femme porte une responsabilité quasi masculine. Il est si bon. J'ai tout démoli. Avec mon amour. Quelle saloperie que notre monde. Il était tout de même malheureux. Puisque je ne pouvais pas faire qu'il m'aime, il fallait que je le laisse en aimer une autre. La tête me tournait.

« Un instant », dis-je. Je prends discrètement ma valise et je la pose devant la porte. J'ai oublié quelques-unes de mes affaires, ce que je ne peux absolument pas me permettre. D'ailleurs il n'y a pas un seul sentiment que je puisse vraiment me permettre. Maintenant, je suis dans une sorte de nuit. J'écris sur une enveloppe son adresse, qui fut la mienne. Puis je glisse à l'intérieur la lettre qui était sous le tapis de liège. Et je scelle l'enveloppe avec le sang de mon cœur. « Est-ce que vous avez un timbre, Ernst, je voudrais me dépêcher d'aller mettre une lettre à la boîte — non, je vous en prie, laissez-moi y aller seule. »

Plus jamais nous n'irons nous promener ensemble, plus jamais je ne lui ferai cuire des rognons — je ne voulais pas faire trente-six simagrées, mais il fallait qu'une fois j'embrasse sa main : c'est à toi que je dois les plus beaux moments de ma vie. Je suis capable de me conduire de façon tout à fait médiocre mais de temps en temps il faut que je sois une fille bien. Même si c'est complètement idiot. Je me serais moi-même découpée en rondelles si cela avait pu t'inciter à m'aimer — je — ah, mon Dieu. Je ne te reverrai jamais plus. Je voudrais me tuer demain matin devant ta porte. Mais non, tout ça c'est du vent! Maintenant je t'écris tout, comme dans une lettre — que je t'enverrai ou pas — ça n'a pas d'importance. Mais quand je parle avec toi, comme ça, je me sens mieux. Quelle torture. Tu as connu ça, toi aussi, à cause de ta femme. Seulement moi, je ne sais pas de quoi je vais vivre demain, c'est ce qui fait la différence. Je suis toujours la fille de la salle d'attente. J'ai embrassé ta main, tu as une main aux doigts si prudents qu'ils n'osent jamais toucher une femme, comme si tu craignais toujours qu'elle se casse quand on la caresse. Et puis je suis partie. Dans l'escalier, j'ai failli vomir de détresse, j'avais mal au cœur.

Plus jamais. Tout est fini. Terminé pour toujours. Je suis allée voir la concierge pour lui demander de l'argent car j'en ai besoin pour mon plan. Je lui ai dit que tu le lui rendrais demain. Je te jure que je n'avais aucune intention d'en profiter. Il m'en reste encore un peu, j'en ai utilisé la moitié pour m'acheter de l'alcool et je t'enverrai le restant demain. Peut-être que je vais avoir très faim, alors tant pis, et peu importe ce que le type pensera de moi. Voilà que maintenant toute cette saloperie va recommencer.

Je me suis rendue à l'adresse de la dame du

tapis. Une boîte tout ce qu'il y a de plus chic, dans l'Ouest. C'est là qu'elle danse avec son type. Je suis assise, comme une pierre. Tout m'est égal — la façon dont les serveurs me regardent, et tout le reste. La voilà donc, cette Hanne. On voit qu'elle a appris à danser, qu'elle a eu une famille distinguée, une mère qui, quand elle était enfant, lui donnait de l'huile de foie de morue, puis un morceau de chocolat comme récompense. C'est ce genre de femme. A l'âge de dix ans, j'ai eu pendant trois jours une amie qui s'appelait Hertha, avec *th,* on lui a ensuite interdit de me fréquenter parce que j'allais à l'école communale et que je savais d'où venaient les enfants. Elle était plus âgée que moi mais n'arrêtait pas de me poser des questions.

Cette Hanne dansait si joliment la valse et le Danube — et puis elle était blonde. Moi, j'étais assise là, je me connaissais un mari et un appartement, qui en fait étaient à elle. C'était très drôle. Elle portait une robe en crêpe georgette couleur ivoire, avec des tas de petits plis, des épaulettes rouges et une ceinture. Pas vraiment chic, mais tellement innocente. Elle n'est même pas jolie, mais c'est une blonde véritable. Quant à ses jambes, elles ne sont pas si longues que ça. Et quand elle sourit à son type, on dirait une pierre de cimetière sur laquelle tombe un rayon de soleil. Lui, il est très élégant, avec des cheveux noirs et huilés — le genre de cheveux avec lesquels il n'y a jamais moyen d'être heureuse, parce qu'ils brillent toujours pour d'autres. Je bois du cognac — très vite. Il y a beaucoup de choses cassées en moi, et ça se met à tourner. Je n'en peux plus. Pendant l'entracte, je vais la voir. Une toute petite pièce, nous sommes assises, c'est très étroit.

« C'est votre mari qui m'envoie, il faut que vous retourniez auprès de lui — allez-y vite, très vite. »

J'étais sur le point d'ajouter : sinon, il en mourra, mais elle se serait aussitôt rengorgée, elle serait devenue tellement sûre d'elle qu'Ernst n'aurait plus eu le dessus. Elle a des plis tout desséchés autour de la bouche, elle s'est mise à faire des yeux tout effrayés, comme Tilli parfois, elle était sur le point de chialer. Mon Dieu, ces bonnes femmes, on ne peut vraiment pas les prendre au sérieux, ce sont de vraies gamines — surtout les blondes.

J'ai suffisamment d'argent — je bois encore un cognac. Pour un peu, j'éclaterais de rire — au début, elle n'arrivait pas à sortir un mot. Elle ne devait pas se sentir dans son assiette ! Elle a posé sur moi un regard plein de jalousie — ça m'a fait un peu plaisir, parce que ça veut dire que je suis redevenue jolie. Moi, je n'étais pas jalouse du tout, on ne peut pas l'être d'une vieille comme ça.

Je lui ai seulement demandé : « Vous y retournez tout de suite, n'est-ce pas ? »

Elle a répondu : « Oui. » Et puis elle s'est mise à

me parler dans une sorte de rêve — éveillée, elle n'aurait certainement pas été aussi franche : « Je ne peux pas continuer à vivre comme ça — et un homme qui a des moyens, qui vous aime et que vous n'aimez pas de façon excessive, c'est encore ce qui vous rend la vie le moins pénible, et puis c'est beau de pouvoir être une source de joie. »

Moi, je ne l'ai pas — je ne l'ai pas aimé de façon excessive. Et je n'ai pas pu être une source de joie pour lui. Mais face à la dame du tapis, je n'ai pas laissé voir la plus légère souffrance. Ensuite, elle a ajouté : « Tout est tellement dur, au-dehors. »

Ça oui, on peut le dire. Le temps que je m'en aille, que je referme la porte derrière moi, j'étais de nouveau remplie de tristesse. Bien sûr, c'est dur. Une femme comme elle voulait donc, à son âge, devenir une vedette — il faut bien dire que je n'y suis pas arrivée non plus, jusqu'à présent. Maintenant, tout est rentré dans l'ordre, mes bougies doivent être en train de brûler — voilà que je me sens de nouveau — je — j'ai encore assez d'argent — je vais boire encore un cognac — ah, mon Dieu.

J'ai eu une conversation. Un jeune type avec un carton est venu à ma table. J'aurais préféré rester seule avec ma douleur. Il va à Ohligs, c'est au-delà de Cologne, là-bas il a un oncle qui possède une forge et qu'il peut aider.

« Qu'est-ce que vous avez à chialer comme ça ?
— Je ne chiale pas.

— Mais si. » C'est comme ça qu'un mot en appelle un autre.

Je dis : « Je pense au triste sort d'une amie qui m'a raconté... » — et là-dessus je lui raconte mon histoire. Il sentait le crottin de cheval, ça m'a mise en confiance.

« Joliment idiot », dit-il, et il m'offre une bière. « Et naturellement, c'est vous, cette nouille débile, me racontez pas de bobards — comment avez-vous pu vous mettre avec un type bien et faire du senti-ment, par-dessus le marché? Ce genre de truc, ça marche jamais. »

Lui, il avait eu une sœur, à qui il était arrivé la même chose. Tout ce que je pouvais dire, c'est que j'avais de la chance de m'en être sortie aussi vite. Plus tard, je n'aurais fait que me barber, je serais devenue vieille sans avoir vraiment profité de la vie, j'aurais gardé mon manque de culture et lui, un jour, il en aurait eu marre — les doux, comme ça, ça donne justement dans le genre intel-lectuel — et je me serais retrouvée en rade avec mes connaissances — en ayant gâché mes meilleures années. Il comprenait qu'en tant que fille, on fasse ce genre de bêtise avec un type bien, pour l'argent. Parce que les temps étaient vraiment durs. Mais les sentiments véritables — il fallait n'en avoir que pour ses égaux, sinon ça allait toujours de travers. C'est précisément ça la question, je n'ai pas d'égaux, je ne me sens chez moi nulle part.

A son avis, c'est dans ces cas-là qu'on vous exploite. Ernst ne l'a sûrement pas fait, c'était un type bien. N'empêche que je me retrouve de toute façon dans la purée et que je ne l'ai pas volé.

Le gars au carton avait des sandwiches au jambon — sa mère était vraiment dans une sale passe mais elle lui avait tout de même préparé ça à cause du voyage et de la nuit. Il m'en a donné deux. Je ne voulais pas accepter — alors il m'a dit qu'il ne fallait pas que je le vexe, car lui et moi c'était du pareil au même, que n'importe comment il fallait bien commencer un jour à partager et qu'avec lui je pouvais avoir des sentiments véritables sans calculer. Par sentiments, il n'entendait rien de grossier. Je lui ai demandé par curiosité s'il épouserait une fille comme moi. Alors il a dit qu'il y avait tout de même pas mal de choses dans mes expériences qui le chiffonnaient, que les gens cultivés avaient généralement les idées plus larges, mais que ce serait quand même envisageable. Puis nous avons parlé. Je lui ai demandé ce qu'il fallait maintenant que je fasse, si je ne devais pas tout simplement faire le trottoir, mais il était plutôt contre. Je lui ai parlé du bureau et de la fourrure. Il m'a dit qu'il ne fallait en aucun cas la renvoyer, que ce serait de la bêtise pure, qu'il valait mieux la vendre et me faire envoyer des papiers par ma mère — ou peut-être m'en faire faire de nouveaux. Il m'a donné une adresse, en disant qu'il faisait ça par complaisance. Il a lui aussi toutes sortes de choses derrière lui, mais maintenant il veut se tenir tranquille. Peut-être se mettre à travailler à son compte, en se trouvant un associé — il a trouvé que mon cas n'était pas simple. Mais qu'en fin de compte on s'en sortait mieux en restant honnête.

J'avais encore des tas de questions à lui poser — mais son train partait. Il se mordait les lèvres, il disait que c'était une vraie saloperie qu'aujourd'hui on ne puisse aider personne quand on n'avait pas d'argent, il en était blanc de rage. Nous nous sommes serré la main. J'ai craché trois fois — un truc que j'ai appris du metteur en scène — il a dit : « Arrête tes conneries, ça sert à quoi ? »

Je lui aurais bien donné quelque chose d'autre pour le voyage, mais il ne me restait que trente pfennigs et ma salive. Je lui ai tout de même pris pour dix pfennigs d'amandes grillées au distributeur automatique. Il m'a dit : « Des conneries. Allons, dépêche-toi de filer dans ta salle d'attente, sinon on va te faucher tes bagages, qui se composent d'un gros millier de sottises. »

C'est exactement comme ça que parle Karl. Karl, qui avait toujours envie de moi. Quand j'ai repris mon cahier, il y avait un mark caché sous une page. Et moi qui ne me suis même pas rendu compte quand il l'a mis là. Il en avait pourtant si peu. Je lui adresse à retardement un merci tout rouge de honte. Je voudrais bien être bonne pour quelqu'un.

A la maison, ils sont peut-être en train de faire brûler mes bougies, j'avais peint artistement les bougeoirs. Je me suis forcée pendant toutes ces pages à ne pas y penser, mais je ne peux pas m'empêcher d'y penser — si, au milieu de toute sa joie, il avait une petite pensée triste pour moi, ça me ferait tellement plaisir. J'aimerais beaucoup lui téléphoner — mais à quoi bon? Je risquerais justement de les déranger dans une certaine situation, et quelqu'un de convenable ne fait pas ça. Je voudrais tellement le trouver moche, ça me faciliterait les choses — mais c'est quelqu'un de bien. Et tout a été si beau. Quand on souffre, on souffre, et ça bousille tout ce qui aurait pu être joyeux, mais ce qui a été vraiment beau, ça ne peut pas le bousiller — ou alors est-ce que ça peut?

Je vais aller dans la salle d'attente de la gare du Zoo — peut-être que Karl viendra — Karl Kreuzstanger. Je lui demanderai de me laisser tranquille un certain temps pour ce qui est de coucher. Une femme, il faudrait toujours la laisser venir d'elle-même. Est-ce qu'il peut comprendre ça? Je ne pourrai plus m'habituer à un type sans éducation, même si j'appartiens au même monde que lui — et un type cultivé ne s'habituera pas à moi. Mais en ce moment je suis incapable d'aller dans la rue Tauentzien et avec de gros industriels, je suis même tout simplement incapable d'aller avec un homme. Après Hubert, ça m'avait fait la même chose — mon corps est beaucoup plus fidèle que ma volonté. On ne peut rien y faire. Ça passera sûrement. Ma sensualité est pour ainsi dire en taule. C'est ça, l'amour. Et puis un jour, elle sera libérée.

Tout ça n'est pas tellement important — je suis un peu soûle — peut-être que je n'irai pas dans la salle d'attente de la gare du Zoo — mais dans un bar chic et sombre, où on ne verra pas dans quel état sont mes yeux à force de pleurer — je me laisserai inviter par un type et c'est tout — je danserai, je boirai, je danserai — j'en ai tellement envie — je danserai — *car tel est l'amour des matelots* — c'est simplement l'amour qui nous rend bons, et le manque d'amour qui fait qu'on est méchant ou qu'on n'est rien du tout — nous ne méritons peut-être pas cet amour, mais hors de l'amour il n'y a pas de chez-soi.

Je vais commencer par m'en aller d'ici et chercher Karl, il a toujours eu envie de moi — je lui dirai : Karl, travaillons ensemble, je veux bien traire ta chèvre et coudre des yeux à tes petites poupées, je m'habituerai à toi avec tout ce que ça implique — il faut seulement que tu me laisses un peu de tranquillité et· de temps — ces choses-là viennent toujours d'elles-mêmes — et si tu ne veux pas, si tu ne veux pas, alors je devrai me débrouiller toute seule — où pourrais-je bien aller? Pour l'instant, personne ne doit m'embrasser. Le bureau, j'en ai assez — je ne veux plus de ce que j'ai déjà eu, parce que c'était moche. Je ne veux pas travailler mais j'ai dans le ventre des bouchons qui m'empêcheront bien de sombrer, non?

Cher Ernst, mes pensées t'envoient un ciel tout bleu, je t'aime bien. Je vais — je vais — je ne sais pas — je vais aller trouver Karl. Je vais tout faire avec lui. Et s'il ne veut pas de moi — travailler, il n'en est pas question, je préfère encore aller rue Tauentzien et puis devenir une vedette.

Il se peut aussi que je devienne une Hulla — et même si je deviens une vedette, je serai peut-être encore plus mauvaise que cette Hulla qui, elle, était bonne. Devenir une vedette, en fin de compte, ce n'est peut-être pas si terriblement important que ça.

CET OUVRAGE A ÉTÉ COMPOSÉ ET ACHEVÉ D'IMPRIMER
PAR L'IMPRIMERIE FLOCH À MAYENNE (FRANCE)
LE 11 FÉVRIER 1982

D. L. 1er TRIM. 1982. No D'IMP. 19641.

ISBN 2-7158-0352-4
HSC 82-2-67-0802-8